FRANÇOISE DE PASSILLÉ

Un Chêne dans la tourmente

Éditions de la Paix

Nous remercions
le Conseil des Arts du Canada de l'aide accordée
à notre programme de publication.

Nous reconnaissons l'aide financière
du gouvernement du Canada par l'entremise du Programme d'aide
au développement de l'industrie de l'édition (PADIÉ) pour nos
activités d'édition.

Françoise de Passillé

Un Chêne dans la tourmente

Roman

Éditions de la Paix
pour la beauté des mots et des différences

Dépôt légal 3e trimestre 2002
Bibliothèque nationale du Québec
Bibliothèque nationale du Canada

Imprimé au Canada

Illustration Fil et Julie
Infographie Geneviève Bonneau
Révision linguistique Jacques Archambault

Éditions de la Paix
127, rue Lussier
Saint-Alphonse-de-Granby
Québec J0E 2A0
Téléphone et télécopieur **(450) 375-4765**
Courriel **info@editpaix.qc.ca**
Site WEB **http://www.editpaix.qc.ca**

Données de catalogage avant publication (Canada)

Passillé, Françoise de

Un chêne dans la tourmente
(Roman)
Comprend un index.
ISBN 2-922565-63-7
I. Titre. II. Collection.
PS8581.A771C44 2002 C843'.6 C2002-940947-0
PS9581.A771C44 2002
PP3919.2.P37C44 2002

À mon époux
nos trois filles
à nos petits-enfants que j'aime

ce roman
comme une offrande

Philippe Arseneau Bussières
et
Julie Saint-Onge Drouin

deux illustrateurs qui se complètent.

Alors que l'un affine les traits de l'autre
qui accentue les couleurs de celui
qui remettait en question l'idée
qu'avait amenée le concept du second,
celui-ci épure ou raffine les formes
afin de bien servir le public ciblé par le premier,

et de pair,

ils recomposent
aux effluves d'un bon café bien tassé...

site Internet

http://pages.infinit.net/filjulie

Chapitre premier

Temps passés

Une terreur soudaine s'empara de Christophe qui, sans ouvrir les yeux, tenta de s'accrocher aux visions dans lesquelles il venait de basculer. N'y parvenant pas, il se leva d'un trait pour arpenter la pièce où il s'était assoupi.

Isolé à l'étage d'une boutique d'antiquités appartenant à Dimitri, son père, l'endroit abritait divers objets à réparer : anciens livres moisis, cadres désuets, parchemins jaunis, petits vases d'un goût douteux ensevelis sous des meubles vétustes, le tout attendait ça et là d'être trié, nettoyé ou décapé au besoin.

En accomplissant ces rites ce soir-là, il avait découvert un livre d'histoire fort intrigant derrière une toile poussiéreuse. L'auteur y racontait les villages échelonnés sur les rives du Richelieu vers 1864.

Christophe s'était vautré dans un large fauteuil de cuir noir pour lire de fascinantes descriptions des monts et des bourgades riveraines de cet affluent du Saint-Laurent. Puis, il avait sombré dans un profond sommeil. Il fit un affreux cauchemar.

Dans son cauchemar, Christophe avait marché, pleuré et parlé en polonais ! Comme l'eau de la rivière était belle en cet été 1864 ! Recouverte d'herbes sauvages, de feuilles de nénuphars, la rivière coulait sans fin. Deux voyageurs parcouraient ses rives, ne sachant de quel côté se diriger. Ils venaient de nulle part. Et la rivière suivait son cours, arrosant les villages qui la bordaient.

L'étranger qui accompagnait Christophe laissait parfois échapper d'étranges paroles qui, peu à peu, lui devenaient familières.

Durant le rêve de Christophe, rue des Érables, Dimitri s'était soûlé encore une fois. Il ne se souvenait que de son nom. Ses autres souvenirs se perdaient dans une sorte de brume alimentée chaque jour par l'ivresse et par les séquelles d'un ancien traumatisme crânien. Il avait raconté à son fils qu'il s'était trouvé sur un chemin de terre, un matin du mois d'août 1947. Il marchait vers la grande ville de Montréal, vêtu d'une riche redingote, les poches bourrées d'argent. Connaissant la langue du pays, il s'était bien débrouillé, seul dans ce coin de ville, dans ce grand village d'alors. Il avait longuement hésité avant de donner signe de vie à ses proches.

Il se méfiait. Un danger le guettait, il le pressentait. Les cicatrices couvrant son corps lui signifiaient qu'il avait été battu autrefois.

Les gens de son quartier aimaient bien cet homme pour ses allures déférentes, pour ses grands gestes de seigneur. Un homme si touchant, si polonais, qu'il avait la démarche d'un prince et l'humilité d'un homme du peuple.

Mais qui était-il ? Homme de guerre ? Homme de mer ? Évadé ou déserteur ?

Prudent, Dimitri préférait sortir la nuit plutôt que de trahir son ébriété. Il préférait la splendeur des ténèbres aux matins radieux.

* * *

Les années passèrent. Dimitri avait survécu dans des montagnes russes, dans des cahots d'ombre et de lumière, émergeant parfois du désespoir le plus profond pour se lancer dans des enjeux insensés, puis sombrait à nouveau. Atteint d'une psychose, il voguait entre la dépression et l'exaltation.

Ce soir-là, du 24 décembre 1964, il était parvenu encore une fois à boire jusqu'à la frontière de la folie pour ne plus sentir, pour ne plus se rappeler qu'il n'était plus capable de connaître son passé. Maryshka, sa bonne, se berçait à l'étage.

Dans le rêve de Christophe, cent ans plus tôt, une montagne sauvage, parsemée de profonds précipices, attirait les gens comme un aimant. Il l'avait grimpée jusqu'au lac tout en haut.

C'était un jour de vacances. La nature comblait les promeneurs. Les grillons chantaient l'été. Des parfums provenant de la terre ensorcelaient les voyageurs.

Au pied de la montagne s'étendait une vallée traversée de routes rocailleuses sur lesquelles des chevaux tiraient des voitures chargées de foin. On y cueillait des fruits, on y fauchait les blés. On y vivait. Dressés vers le ciel, les clochers des villages brillaient sous les feux du soleil.

Hélas ! Tant de chaleur, tant de couleurs ne durèrent que peu de temps. Le ciel se couvrit. La rivière aux reflets d'argent devint gris fer, le chant des oiseaux se fit plaintif et le vent, plus menaçant. L'orage éclata. Du même coup, l'horreur se lut dans les yeux de l'étranger qui accompagnait Christophe, tandis qu'un cri de désespoir déchirait l'air. Suivit un effroyable fracas de fer, d'acier et de freins grinçants.

Un train avait plongé dans la rivière. Et Christophe s'était éveillé, horrifié et déçu de n'avoir pu poursuivre son voyage.

Curieusement, il avait rêvé en polonais. Des bribes de phrases lui revenaient du plus profond de son inconscient, d'une langue dont il se souvenait vaguement pour l'avoir parlée avec Maryshka. Certains mots ressemblaient à ceux qu'elle balbutiait quand elle s'adressait à elle-même en astiquant les parquets de bois de leur maison.

Au pied du fauteuil de Christophe, le livre ouvert dévoilait un article provenant d'un journal d'autrefois :

Catastrophe ferroviaire à Belœil

Un train rempli d'immigrants roulant en direction de Montréal a sombré dans les eaux de la rivière Richelieu. Le pont n'avait pas été remis en place après le passage d'un bateau. Le mécanicien n'a pu arrêter sa machine à temps.

En proie à une profonde tristesse, Christophe réfléchissait. Comme il ressemblait à son père Dimitri, l'étranger de son rêve !

Bizarre, quand il buvait, Dimitri lui parlait d'un pont. Il le lui décrivait par phrases décousues en le fixant avec ses yeux d'alcoolique, remplis de larmes. Il semblait que ce fût un pont verdâtre, presque noir, tout comme celui du livre, que la rivière qu'il enjambait n'était pas large, mais qu'elle était bordée de champs de couleur paille.

Dimitri avait peur. Mais de quoi ? Comment savoir ?

Chapitre 2

DÉSARROI

Le souci d'en finir avec l'incertitude qui le tenaillait guida les pas de Christophe. Il dévala la rue des Érables jusqu'au numéro 89, impatient de retrouver Dimitri. C'est là qu'ils habitaient avec Maryshka. Il voulait interroger son père, comme il l'avait fait maintes fois, espérant toujours que des bribes de mémoire lui soient rendues.

Il leva les yeux vers la façade de la maison. Elle était éclairée par une lumière vive. Il vit Maryshka, la bonne, qui se berçait, et à l'étage, un homme qui titubait. Dégoûté, Christophe poursuivit son chemin sans entrer.

Le temps était à l'orage. Il marchait d'un pas pressé, transi par la pluie. Le seul érable de la rue des Érables l'effraya tant il tanguait dans tous les sens.

Des lumières rouges et bleues tentaient d'égayer l'avenue qui, aux yeux de Christophe, présentait une laideur repoussante. Et le vent ! Il lui murmurait une musique funèbre qui le poussait vers le pont sur le Saint-Laurent.

Ce soir de Noël, il aurait tant voulu un accueil chaleureux, l'amitié de son père.

Tout en haut, au-dessus de la misère de la ville, Christophe s'arrêta enfin, cherchant son souffle. Et il écouta. Il avait fui l'arbre et sa voix, le mal qu'elle lui causait, mais voilà que maintenant ce chahut dans les grandes poutres d'acier du pont l'effrayait tout autant. Il hésitait. Le Saint-Laurent qui n'était pas gelé le provoquait, le voulait furieusement ; ses vagues brunes s'émoussaient dans une danse séductrice. Il n'avait qu'un geste à faire pour les rejoindre. Tout son être tremblait de désarroi. Un cri cherchait à s'échapper de lui. Manifestations de panique ou dépression passagère ? Qu'étaient donc ces malaises qui l'envahissaient soudain ? Difficile à déceler. À cette époque, Christophe n'était encore qu'un tout jeune homme. Il n'avait jamais connu la vraie misère, mais l'avenir ne lui disait rien qui vaille, d'où sa grande tristesse. Était-elle gravée dans ses gènes ?

Une scène cependant s'imposa à son esprit, un décor du songe qu'il avait fait : la beauté d'une rivière.

* * *

Christophe ne sauta pas dans le fleuve. Il s'en éloigna gauchement, et cet excès de tristesse qui l'avait tantôt saisi en fit tout autant. Il marcha longtemps. Son esprit s'était figé. Et ses paupières s'alourdirent de plus en plus. Il avançait depuis des heures déjà, comme un somnambule, vers le sud, vers la rivière, vers les terres de son rêve quand un train commença à siffler. Cela le réveilla tout à fait. Il suivit des yeux les wagons traversant la grand-route, cahin-caha, et oh ! miracle, la pluie devint neige pour l'envelopper. Étonné, il écarquilla les yeux ; le paysage muait, offrait un spectacle féerique à qui s'éloignait de la ville. Et s'allumèrent les branches des arbres, les étangs givrèrent, les buissons figèrent de l'autre côté de la voie ferrée. Rien, pas même le froid, ne l'aurait fait reculer hors de ce tableau blanc, accueillant dans son silence.

Il éprouvait maintenant des sentiments contradictoires. Il devait poursuivre sa route. La neige avait blanchi ses longs cheveux fauves. Gaillard à l'allure athlétique, aux traits ciselés, Christophe était beau. Il avait tout pour braver les humeurs du temps. Le voyant ainsi courbé sous le vent, on l'aurait pris pour le père Noël. Il ressemblait à Dimitri : solide comme un chêne, le nez busqué, la douceur du regard qui scrutait le passé.

Il avait parlé polonais et il avait connu sa mère. Cela, Christophe s'en souvenait vaguement. Maryshka, peu loquace quand il s'agissait des secrets de famille, lui avait dessiné un portrait de sa mère selon le souvenir qu'elle en avait gardé. Cette mère affolée qu'on avait voulu briser. Maryshka avait été remuée lorsqu'elle lui avait confié son bébé.

Tant de mystères planaient au 89, rue des Érables ! L'idée d'y retourner ne l'effleurait plus guère. Il était séduit par la neige magique. Celle-ci, en éclairant la nuit, réchauffait le peu qui lui restait de son cœur d'enfant. Les arbres maintenant animés y avaient semé une étincelle.

S'entêtant à marcher, il se rendait compte que ce songe qui l'avait stupéfié quelques heures auparavant ne signifiait rien. Les songes sont ainsi parfois. Pourtant, il y avait ce pont, le pont de Dimitri. Il était convaincu qu'il existait vraiment. Le vieux livre du passé le lui avait confirmé.

Christophe n'ignorait pas que Maryshka était venue, un jour de l'année 1947, sonner chez Dimitri en tenant dans ses bras un petit enfant. Elle l'avait confié à Dimitri en lui affirmant qu'il était son fils et en lui promettant de prendre soin de lui si on la logeait. Sans doute en connaissait-elle très peu sur ce qui avait séparé Dimitri de sa famille.

Elle expliqua qu'une amie très chère de la mère de Christophe avait convaincu cette dernière de lui faire confiance. « Elle te remplacera, je te le jure. Elle s'acquittera parfaitement de sa mission », lui avait-elle répété avant le départ du bateau.

Fait invraisemblable, Maryshka n'avait pu en révéler plus sur le passé de Dimitri, sinon que sa femme devait donner naissance à un autre bébé après tous ces incidents. On s'était fié à elle, ce dont elle avait été flattée. Elle avait suivi à la lettre les recommandations de la mère de son petit protégé, sachant bien que pour qu'une maman consente à se séparer de son enfant, un imminent danger devait la menacer. Mais elle ne savait rien d'autre.

Maryshka, la seule qui l'avait tenu dans ses bras depuis cet épisode bouleversant, avait été la protectrice de Christophe. Ensemble, ils avaient fait un bon bout de route en parlant français, selon le désir de Dimitri, quoique la servante ne pût s'empêcher de souffler des mots polonais au petit, tout en les lui traduisant.

Dimitri était demeuré absent, retiré dans le paradis artificiel de son évasion. Quand il buvait, une image floue se présentait à lui, puis s'éteignait. C'était la reproduction d'un coin de son pays, une paix au milieu d'un enfer d'insécurité. Il lui paraissait alors nécessaire d'ouvrir une autre bouteille, et une autre.

Christophe, – Krystof dans la graphie polonaise –, avait grandi, se déplaçant sans cesse du pensionnat à la maison, de la maison au pensionnat, où la règle avait été sévère et la douceur de vivre imaginaire. Liturgie et prières, superstitions et sacrifices inutiles l'avaient mené à la neurasthénie qu'un brin de neige pouvait dissiper néanmoins. Mais il sentait un urgent besoin de connaître le passé, besoin de vérité, de justice, d'amour. Et Maryshka ne pouvait répondre à toutes ses attentes, elle qui n'avait pas connu sa famille.

Ce soir-là, il prit donc la résolution de tout tenter pour trouver la clef de ces mystères qui l'étouffaient.

Chapitre 3

MARIE ESQUISSE

Marie se leva, fit quelques pas et relut ces lignes tout juste tracées. Elle sourit. Est-ce vraisemblable ?... Elle se servit un café noir, geste machinal. Cette potion magique l'aidera à ne pas perdre le fil de ses idées.

Elle continua à supposer ceci, à présumer cela à propos de son nouveau voisin d'à côté. Que fait-il donc ? D'où vient-il ?

Gavée de caféine, elle poursuivit son récit.

Christophe rebroussa chemin malgré ses réticences. Son intuition lui dicta de continuer. Ou étaient-ce les lamentations de son chien ? Celui-ci, l'ayant flairé de très loin, avait suivi la trace de ses pas.

Aussitôt revenu dans la ville, son attention fut attirée par une vieille dame étrange. Que faisait-elle là ? On la photographiait sur le trottoir. Des piétons la sermonnaient, essayaient de la convaincre de disparaître.

Pétrifiée, la pauvre dame ne bougeait pas, ne disait mot. Elle ne comprenait pas pourquoi on la chassait. Elle habitait sous un sapin, dans la ville, sans faire de mal à quiconque. Ses passe-temps ? Promenades dans les rues, près des portes qui racontent la vie, des églises qui se rappellent les siècles derniers, près des parcs remplis d'oiseaux qu'elle nourrissait. En leur compagnie, elle fêtait, à Pâques, la résurrection des arbres, et à Noël, les anges de la musique. Voilà sa déclaration à ceux qui lui parlaient gentiment, tout en cherchant les mots apaisants qui lui feraient entendre raison.

Hier, le cœur serré, Christophe l'avait suivie. Près de l'arbre, elle avait secoué ses hardes. Frissonnante, elle s'était laissée soulever par la foule et s'était dirigée vers le côté ouest de la ville. Un affreux sac à bandoulière à son épaule, elle avait marché jusqu'à l'immeuble Morgan, cet illustre magasin de neuf étages, rue Sainte-Catherine.

Dans la foule, l'itinérante avait attendu l'ouverture du grand magasin. Elle était montée à l'étage des meubles et s'était dirigée tout droit vers un superbe piano à queue, couleur acajou. Elle avait attendu que ses mains se réchauffent avant de s'installer au piano.

Et une musique déchirante avait empli les lieux, avait touché le cœur des passants qui formèrent un groupe autour de la pauvre musicienne, laissant l'enchantement et les souvenirs de leurs Noëls d'antan les habiter un court instant.

De retour chez lui, Christophe monta l'escalier du 89. Son ravissement l'avait quitté. Néanmoins, il savait qu'il n'avait qu'à sauter par-dessus les ponts pour respirer. Aussitôt rentré, il vit que Maryshka était fort agitée. Elle gesticulait à en perdre le souffle. Son maître Dimitri gisait dans le couloir, au pied du grand escalier de chêne qui séparait le séjour de la bibliothèque. Il tenait dans une main un bout de papier chiffonné sur lequel était griffonné un numéro de téléphone.

Maryshka était si énervée qu'elle mêlait le français et le polonais. Elle s'évertuait à expliquer qu'un jeune homme était venu le soir même. Croyant apercevoir Christophe à travers la vitre, elle avait ouvert.

— L'inconnu te ressemblait, mais ses yeux étaient verts ! Il parlait tout bas. Dimitri était ivre, il n'a pas su lui répondre convenablement. Alors, le jeune homme, visiblement froissé, lui a remis ce bout de papier et s'en est allé sans savoir quoi lui dire. Tout s'est passé si vite ! Il se hâtait, fuyant quelqu'un, aurait-on dit. J'ai peur pour Dimitri, Christophe ! Il a réussi à décrocher le téléphone tout à l'heure, à composer le numéro écrit sur le bout de papier et à s'identifier. Il a juste eu le temps de me parler d'un homme âgé et... Il a eu un choc et il s'est effondré.

Christophe fit ce qui s'imposait en de telles circonstances, mais sans grand espoir. Et il pleura.

— Je monte vers le Nord, dit-il le lendemain à Maryshka. Je me rendrai moi-même là où Dimitri a téléphoné.

* * *

C'était l'hiver au village. Un joli village, un hameau, diraient les uns, une bourgade, diraient les autres.

Quelques humbles maisons côtoyaient une église de bois, chapeautée de blanc, jouxtant un cimetière reposant sous la neige au bord d'une rivière. Le soir, les villageois se rendaient au bureau de poste pour avoir les nouvelles. Ils étaient peu nombreux. Il y avait plus de monde sous terre que sur terre. En face, l'école qui n'en était plus une, – il n'y avait plus d'enfants au village –, fournissait des aires de travail aux employés du canton.

La neige duveteuse tombait lentement sur l'école, sur l'église, sur le cimetière et sur la rivière. Des perches dans les champs, derrière l'école, suivaient un ruisseau. On ne pouvait distinguer où elles allaient. Dans le lointain, entre les vallons, se dessinaient les toits de maisons minuscules.

Christophe observait le village et le gravait dans son cœur pour toujours. Il était charmé. Arrivé depuis peu, il tenait dans ses mains le numéro de téléphone que lui avait remis Maryshka. Son regard scrutait les quelques visages aperçus au passage, et qui se ressemblaient tous, qui lui ressemblaient aussi. Tiens, ce petit bonhomme à la démarche hésitante, se dépêchant soudain à la vue de Christophe. Qu'avait-t-il donc ? Quel être extraordinaire ! Il était courbé, sous un manteau trop long. Un drôle de quidam qu'un corbeau frôla en croassant. Ils semblaient de connivence.

Quelqu'un mettrait bien Christophe sur une piste, élucidant ainsi le mystère du coup de téléphone reçu par son père, la veille de Noël. Il voulait aider Dimitri puisque celui-ci l'avait aimé, puisqu'il l'avait reconnu comme son fils, puisque son cœur s'était souvenu de lui.

* * *

Christophe devint très vite amoureux de ces paysages qui l'apaisaient, de ces nuances sur la neige, de cette petite maison de bois, dénichée au bord du lac, à quelques lieues du village. Du fond de sa solitude, il pourrait ici contempler les couleurs des saisons. Il savait maintenant que la vie lui sourirait loin des pavés de la ville. Il se réconciliait avec la terre.

Devrais-je faire venir Maryshka ? soupirait-il parfois. Mais celle-ci devait monter la garde, rue des Érables. Le visiteur de la veille de Noël y reviendrait sans doute.

* * *

Le temps passa, Christophe s'enracina petit à petit. Il ouvrit un petit commerce d'antiquités en visitant les greniers des cultivateurs de la région.

Puis vint le printemps.

La confiance qu'il avait dans la nature comblait sa solitude.

Chapitre 4

MARIE OMBRAGE

En ce matin du printemps 1965, le curé balayait le perron de l'église tout en réfléchissant. Beaucoup de visages soucieux l'avaient étonné ces derniers temps. Des villageois sortaient sans cesse de leur maison pour se consulter ; leur mine inquiète le contrariait. Il ne pouvait entendre leurs conversations. Rien ne saurait passer inaperçu en ce milieu, et il y avait tout lieu de croire que quelque chose ne tournait pas rond. C'est pourquoi il observait, il écoutait. Que lui cachait-on ? Il se souciait de ses paroissiens qu'il avait adoptés, cherchant constamment à les protéger. Ils étaient sa famille. Toutefois, ceux qui ne venaient jamais implorer son pardon lui semblaient bien louches.

Tout en poussant son balai, le curé médita longuement sur les règles de vie auxquelles ses fidèles étaient soumis pour parvenir à tirer de la terre nourricière leur humble subsistance. Le curé Labelle avait naguère choisi de bien pauvres terres pour ses colons, pensait-il.

Ce même matin, l'abbé devait célébrer les obsèques d'un Polonais qui avait, durant vingt ans, cultivé des pommes de terre dans un potager pierreux au bord de la rivière Rouge. Il s'appelait Josef. Sa femme, la veille, était venue déclarer son décès.

L'homme fut enterré dans cette terre rocailleuse du cimetière, si semblable à la sienne, ingrate et épuisante, après les hommages rendus à son courage par des Rudacovitch, des Seglelski, des Sérechisnski et bien d'autres encore.

Dans la vallée lointaine, des paysans se recueillaient, d'autres se battaient contre le sol, y plantant ce qu'ils pouvaient. Coiffées de fichus, dans leurs pauvres robes rapiécées, leurs femmes les appuyaient. Ils n'avaient pas le temps de se rendre aux funérailles. La cloche du hameau résonnait dans le vent et dans leur cœur, brisé depuis qu'ils connaissaient le départ de l'un des leurs. Ils priaient pour le salut de Josef.

* * *

À quelques kilomètres du village, ce jour-là, chez Christophe, la paix s'installait dans les moindres recoins. Un vent léger soufflait. Le ciel, tout comme l'eau, avec des îles et des vagues, se couvrait tout à fait.

Maintenant un silence ouaté régnait dans la brume sans cesse croissante. Derrière elle, lacs, rivières et ruisseaux dans les bois coulaient. Les bouquets de sapins vivaient. Des animaux naissaient et mouraient. Ils se désaltéraient aux sources, dormaient sur des lits de mousse, des matelas de feuilles. Ici, de petits rongeurs faisaient des provisions et les dissimulaient dans des troncs d'arbres. Là, un écureuil roulait dans ses pattes une menue baie des bois, toute ridée par l'hiver. Il allait la grignoter sous un toit d'épinettes, dans une cathédrale pavée de champignons sauvages.

Christophe entendait battre le cœur de la forêt. Tantôt le galop d'un cerf faisait résonner la terre comme un tambour, tantôt des yeux l'épiaient à travers d'épaisses nébulosités.

Vêtu de peaux de suède avec sa barbe rousse, il perdait ses airs de citadin, devenait vigoureux. Il habitait seul dans une toute petite maison en rondins sur le bord d'un grand lac.

La brume le hantait sans répit. Il était déterminé à savoir pourquoi un jeune homme était venu chez Dimitri, l'hiver dernier. N'entrait pas qui veut dans les petites sociétés des villages.

« Oui, un monsieur qui vous ressemblait, un étranger à ce comté est venu dernièrement », lui avait-on certifié, quand il avait questionné les villageois. On l'avait vu frapper à la porte du vieil homme qui habitait dans cette maison un peu en retrait du chemin des Pionniers, la seule rue du village. On avait vu cet inconnu déambuler parfois, tête basse, fuyant le regard des gens et visiblement tracassé. Il avait quitté le village, croyait-on.

Le nom de Rudolph Schwartz était inscrit sur la boîte aux lettres du petit homme.

* * *

Christophe se frotta les yeux. Rêvait-il encore ? Des personnes se levèrent dans de gros nuages vaporeux, marchant vers lui, sortant de ce brouillard dense, les unes à la suite des autres. Le premier des hommes, qui lui semblait aimable, l'étonna beaucoup : chapeau enfoncé jusqu'aux oreilles, dos scoliotique, surmonté d'un cou qui vacillait...

— Je m'appelle Frank.

Le temps des révélations était venu, et Christophe se mit à trembler. Qu'allait-on lui apprendre sur Dimitri, et sur l'autre, celui qui lui ressemblait tant ? Vaudrait-il mieux que je ne sache rien ?, pensa-t-il encore, puisqu'il avait enfin trouvé la paix, puisque la forêt qui l'entourait l'obligeait à se défendre pour survivre.

L'homme au cou plié semblait en avoir long à dire, mais se taisait pour l'instant. D'autres l'entouraient. Un groupe pour le moins insolite se forma autour de Christophe. On lui signifia qu'on avait eu vent de ses recherches, mais...

— Nous avions fait la sourde oreille, dit l'un d'eux.

— Mais pourquoi ? s'objecta Christophe.

— À cause de Josef qui vient de mourir, lui répliqua-t-on. Il était absolument contre le fait que tu t'insinues dans des secrets dangereux pour toi. Il te connaissait depuis longtemps, mais tu étais si petit. Il ne voulait pas qu'on mette ta vie en danger. Nous avons respecté son idée, du temps de son vivant, mais aujourd'hui, nous nous sommes consultés. Et voilà, nous sommes venus.

Christophe n'apprit rien ce jour-là. Ils ont peur de parler, constata-t-il. Frank l'invita chez lui.

— Mais viens la nuit, le prévint-il.

Il semblait, tout comme ses compagnons, anormalement sur ses gardes, fragile. Très fragile.

Ceux qui accompagnaient Frank, d'après les déductions de Christophe, venaient d'un peu partout dans la vallée. Ils étaient tantôt venus verser des larmes sur l'un des leurs, tantôt sur un ami.

Une petite fille à cheval passait par là.

Chapitre 5

SOUDAIN, FRANÇOIS

— Le mois de mai est bien maussade, cette année, constata Marie qui rentrait tout juste de la ville, son travail l'obligeant à s'y rendre fréquemment. Il a des airs de mois de novembre.

Le vent hurlait, assourdi par le vacarme que font les eaux troubles d'une rivière se déchaînant tout contre les vallons qui la bordent, espérant aujourd'hui déborder sur le chemin des Pionniers, au village. Les nuages déversaient des trombes d'eau.

Marie devait tenir son volant très fort pour ne pas dévier de sa route. À sa droite, des livres, des pinceaux et ces pages toutes raturées qui la suivaient partout.

Au bout du chemin principal s'aboutait une autre route menant au lac le plus proche, son lac. Elle s'y dépêcha.

* * *

Une branche lourde de pluie s'appuya sur la clôture de cèdre protégeant l'entrée de la propriété de la jeune fille. Marie n'y était pas venue depuis fort longtemps. L'envahissante odeur du printemps, dans l'air pur, faisait, comme à chaque année, renaître en elle de pâles souvenirs. Dès qu'elle mit pied à terre, des rires comme des clochettes se mêlaient aux chants des passereaux au ventre dodu, des enfants sortaient d'une voiture et couraient vers la mare des grenouilles qui répétaient pour leur concert du soir. Le printemps chantait partout. Les ruisseaux en faisaient autant. Un jeune chien aboyait de contentement derrière une petite fille qui n'était autre que Marie enfant, courant sous une épaisse tignasse blonde vers son cheval bai. Comme le temps avait passé depuis cette ère insouciante ! Ses parents s'en étaient allés, lui léguant deux petits garçons, ses frères, nés après la guerre.

* * *

Le lac baignait dans la brume. On n'y voyait rien. Marie ouvrait sa porte. Fragrances enivrantes, senteurs d'autrefois, pétillante odeur du feu, la touchaient en plein cœur.

Des visiteuses étaient venues, s'étaient réchauffées tant bien que mal, avaient grignoté des ustensiles et rongé des pinceaux, croyant avoir trouvé un château au milieu de la forêt, jusqu'à ce que le froid les en chassât.

Munie d'un vieux balai, Marie fit maison nette, un rite de printemps. Alors seulement, elle se sentait bien. De jeunes faons l'observaient à travers la fenêtre. Ils semblaient attirés par l'odeur des fleurs dans les vergers sauvages dont le vent avait distordu les branches sans pitié. Des merles fêtaient la pluie.

Le brouillard du lac se dissipa enfin, se déposa sur les branches, s'entortilla sur les sapins des îles, en formant des dentelles pour ensuite se séparer en milliers de petits fantômes joyeux, éparpillant sur l'eau des myriades de diamants minuscules. Ils étincelaient au soleil qui trouait les nuages, annonçant une journée magnifique.

Marie s'en aperçut à peine, tant elle était perdue dans ses rêveries. C'était un moment savoureux. Elle s'évadait souvent ainsi de la ville, avec ses crayons, dans des histoires abracadabrantes qui s'éternisaient. Elle s'enfuyait de la détresse des gens qu'elle côtoyait chaque jour à son travail dans une clinique d'urgences à Montréal.

Ce jour-là, elle était revenue chez elle à la rencontre de la paix. Elle cherchait un moyen très simple de faire parler le personnage qu'elle avait imaginé, celui qui avait pris âme dans son cahier : un Polonais aux yeux noirs. Quelle idée ! Un Polonais, ce jeune homme entrevu cet hiver entre les branches quand elle était venue se reposer. Sa solitude – ses frères étant au collège – la poussait à réinventer le monde, ou plutôt, à s'en créer un. Tantôt, derrière la brume, tout était flou ; en elle, tout était vague. L'hiver avait été rude. Son cœur de glace fondait comme les cours d'eau. Il était temps. La terre avait bu la neige. Elle sentait bon, elle sentait déjà les fleurs estivales. Des papillons souhaitaient sortir de leurs cocons. Le ruisseau, tout à côté, se préparait à déverser son trop-plein. Il se dépêchait, emportant dans sa course, une collection de brindilles.

Et surgissaient de partout les personnages de Marie : des profondeurs de l'île au loin, du ruisseau, de la baie qu'elle habitait. Elle réfléchirait tantôt sur chacun, cette petite fille à cheval qu'elle était autrefois. Oui, elle les laisserait parfois traverser dans le cahier de ses inventions. Et se poserait des questions sur l'absurdité de la vie. Quoi de plus perçant que ses yeux d'enfant pour scruter le temps ?

Alors, comment le faire parler ? Elle ne savait comment s'y prendre. Soudain, un bruit dans la pinède la contraignit à se lever.

Alarmée, Marie écouta. Des pas hésitaient, faisaient le tour de sa demeure. Un malaise l'envahit. Isolée en forêt, elle se savait vulnérable. Elle entrouvrit la porte. L'homme que voilà, elle le connaissait, le craignait. Un Polonais !

— Je me nomme François. Je suis enseignant. Pour l'instant, je suis au repos.

Alors, il est Québécois comme moi, pensa Marie. Il ne saura jamais tous les rôles que je lui ai fait jouer avant de le dessiner en Polonais.

— J'habite à 500 mètres d'ici. Je te remets du bois de chauffage que j'ai dû t'emprunter un soir de tempête, alors qu'on n'y voyait rien. Je l'ai ramassé, je n'avais d'autre choix. Il m'a rendu un fier service. Je te remercie, je dois partir maintenant. Ne te gêne pas à ton tour. Si tu as besoin d'aide, fais-moi signe. Le village est si loin !

Voilà, ça doit être comme ça qu'on fait parler ses personnages, songea Marie. Ils viennent, ils se présentent, on échange des politesses. Ce François, je l'ai croisé une fois et il a osé s'installer dans mon cahier. Quel personnage fascinant !

Et les mouvements du lac, sous des éclairages effarants, lui permettaient de tout oublier. Elle ne voyait pas le temps passer. Elle l'entendait vaguement au son d'une vieille pendule sans y prêter attention. Un vent du Nord prenait le temps de pousser un dernier soupir, après un soubresaut sans conséquences, pour encore une fois saisir l'eau du lac qui gelait et dégelait à nouveau en faisant des bruits de vitre qu'on brise.

Le jour s'écoulait. Dans le soleil mourant, le ciel vibrait d'une symphonie de couleurs, et puis vint la nuit. Coule la source, chante le vent, vole l'engoulevent. Et Marie, tout engourdie de bien-être, retrouvait son personnage dans son cahier.

Chapitre 6

AU CLAIR DE LUNE, UN ESPION

Un cri sauvage dans la forêt rompit le silence de la nuit et sortit Anne de sa torpeur.

Qu'était-ce ? Un animal qui se faisait dévorer sans doute. Elle était seule dans la maison de ses parents toujours absents. La maison jouxtait un grand lac et, derrière, c'était la forêt. Le plus proche voisin était à deux kilomètres. La pleine lune, de temps en temps, perçait les nuages.

Anne jeta un regard vers la fenêtre et n'y vit qu'un sombre trou de nuit dans lequel s'alluma tout à coup un gros rond de lumière au milieu duquel un petit être se hâtait, claudiquant.

— D'où sort-il, celui-là ?

Vraisemblablement, la forme humaine se dirigeait vers chez Christophe, ce voisin aux yeux si intenses, si profondément noirs, qu'on y voyait son âme. Inquiète, Anne se promit d'aller à l'aube informer ce dernier de ce qu'elle avait vu. Elle ne se sentait pas trop brave. Cette nuit-là, elle dormirait auprès du feu.

Le lendemain, alors que le jour pointait, Anne courut faire part à Christophe des étrangetés de la nuit.

— Quelqu'un m'épie depuis que je cherche à savoir ce qui a foudroyé mon père l'hiver dernier.

Et Christophe lui raconta Montréal. Et le pont. Et Dimitri.

— Je veux aussi savoir la raison de la venue de Dimitri à Montréal, il y a vingt ans.

— Si je puis t'être de quelque utilité, Christophe... Je connais bien Montréal. Je pourrais y faire ma petite enquête ?

— N'en fais rien, ce serait hasardeux. On nous tient à l'œil. Regarde.

Mine de rien, un pêcheur les observait du fond d'une barque. Ils le distinguaient à peine sous les branches d'un saule. Cet arbre gesticulait tant qu'on aurait cru l'esprit du lac.

— C'est lui que j'ai vu cette nuit, Christophe. C'est ce petit bonhomme.

— Mais je le reconnais ! Il habite tout près du village.

La barque s'enfonça à nouveau dans les vapeurs du lac.

— Anne, dit Christophe, ne reste pas ici. Ou bien fais installer le téléphone. Je vais bientôt comprendre. Il se passe des choses... J'ai rendez-vous chez un monsieur Frank, rue des Pionniers, près du village. Il veut me parler.

Anne lui promit de faire attention et s'éloigna, déroutée, non sans avoir jeté un coup d'œil autour de la maison de Christophe.

Il répare des bateaux. Il restera donc. Ce lac jette des sortilèges à qui l'approche, songea-t-elle. Mais le lendemain, lors d'une promenade, elle constata l'absence de Christophe. Il n'y avait plus âme qui vive dans sa maison.

Qu'est-il devenu ? Tout est barricadé. Je ne pensais pas qu'il allait partir. Comment l'aider ? Son histoire est tellement compliquée. Et si moi, j'allais au pays de son père ? Je connais un peu la Pologne, sa misère, sa politique chancelante. Non, entreprise insensée. Mieux vaudrait consulter les journaux de l'époque correspondant à la venue de Dimitri Alexandrovitch à Montréal. Et si Christophe y était allé, lui, en Pologne ? Attendons qu'il revienne. Et s'il ne revenait pas ? Si on l'avait... Oh ! il faut que je sache !

* * *

Anne s'habilla et courut vers sa voiture. Elle se sentait honteuse de ne pas avoir consacré plus de temps à sa thèse universitaire sur *les états traumatiques crâniens*, laquelle devait être bientôt remise à la faculté de médecine qu'elle fréquentait. Elle était si malheureuse, ayant senti naître en elle, à la vue de Christophe, un émoi dont elle aurait bien aimé se passer, et une culpabilité qui l'incitait à se mêler des affaires de ce dernier.

Passant par le village, elle devait s'arrêter pour laisser passer une procession de fidèles qui déambulaient sous l'œil protecteur de monsieur le curé qui implorait la Vierge de protéger ses enfants. Pour souligner la Fête-Dieu, ce dernier avait prévu un reposoir dans les montagnes.

C'est une occasion de se divertir, se dit la petite fille au cheval qui, à l'orée du bois, les étudiait du haut de sa monture sous le regard inquiet du bon pasteur. Il aurait bien aimé la voir participer à la fête, la sachant si seule, puisque à la maison, on lui faisait la classe, lui affirmant que c'était mieux ainsi, vu son rang social. De plus, on ne voulait pas qu'elle attrapât des microbes et les mauvais penchants de ces petits voyous de la région.

Pourtant, rumina le prêtre, si elle se mêlait aux enfants de son âge... Mais où donc est son père, ce réputé juge ? Trop pris au tribunal ? Viendra-t-il plaider la cause de sa petite fille ?

Chapitre 7

MARYSHKA SE SOUVIENT

Coiffée d'une queue de cheval portée très haut, vêtue d'un tricot à manches courtes et d'une jupe très large faite de feutre et piquée de joyeux appliqués, des espadrilles aux pieds, Anne marchait rue Sherbrooke en direction de la rue des Érables à Montréal. Elle tentait de se raisonner, de se convaincre que Christophe ne courait aucun danger. Il avait dû quitter le lac à cause de révélations faites par ce monsieur Frank, rue des Pionniers, au bord de la rivière au sable rouge.

Elle s'accrochait à cet espoir. Elle s'arrêta enfin, à l'angle des rues des Érables et Sherbrooke, devant la boutique d'antiquités de Dimitri Alexandrovitch. Elle y entra.

De vieux objets peuvent être révélateurs, se murmura-t-elle.

Sous l'œil distrait du commis embauché par Christophe avant de partir vers les pays d'en-haut, Anne tenta, au hasard, de découvrir un indice pour l'aider dans sa démarche. Qu'il me faille feuilleter des piles de documents ne me dérange pas, s'avisa-t-elle, se promettant d'aller fouiller dans les librairies de Montréal qui lui étaient familières. Puis, elle descendit la rue des Érables, en direction de chez Christophe.

En face du 89, Anne hésita, se pencha pour nouer un lacet. Une ombre soudain couvrit le trottoir.

Elle se leva, puis se heurta sur celui qui la suivait, vraisemblablement, et qui hésita.

— Christophe ! Non. Excusez-moi, j'avais cru...

L'ombre et sa suite pressèrent le pas, rebroussant chemin, la laissant pantoise. Anne frappa chez Christophe.

Vêtue d'une robe à fleurs, bas aux genoux, une femme aux longs cheveux blancs, aux yeux ronds et bleus dans un visage rose, s'amena péniblement. Anne la vit venir par la porte vitrée.

— Que voulez-vous ? demanda-t-elle à Anne que l'angoisse étreignait.

— Est-ce bien ici la maison de Christophe Alexandrovitch ?

— Oui, Mademoiselle, vous le connaissez ? Parlez-moi de lui, dit-elle en roulant ses « r ». Il m'écrit de temps à autre, mais se garde bien d'échapper des mots qui me troubleraient. Il était si désespérément triste quand il est parti, l'hiver dernier. Je suis très inquiète. Il est un peu mon fils, vous savez. Durant toute son enfance, j'ai eu soin de lui... de ce pauvre petit.

— Christophe, Madame Maryshka, je le connais très peu. Vous le savez sans doute, il cherche à comprendre ce qui a pu heurter son père l'hiver dernier, avant sa chute à vos pieds. Un homme de la vallée de la Rouge, là où il habite, devait lui parler. L'a-t-il déjà fait ? Peut-être connaît-il les circonstances ayant conduit Dimitri Alexandrovitch à Montréal. Et vous, les connaissez-vous ?

Ce ton, se dit Anne, cette vive sollicitude, cette bonté dans son regard, pourtant rébarbatif au premier abord !... Elle m'aidera, je crois, à dénouer les fils de la mystérieuse histoire de Dimitri.

Les yeux de Maryshka fixèrent le vide. Elle était partie ailleurs, très loin dans ses souvenirs.

— Nous fuyions tous, dit-elle enfin, entassés les uns contre les autres dans un bateau.

Puis, elle prononça quelques mots en polonais qu'Anne ne comprit pas, pour ensuite enchaîner dans un français tout de même assez bien maîtrisé, ayant pris la peine autrefois de l'étudier :

— Une belle dame m'a remis le petit. J'avais pour mission de le conduire à son père, Dimitri Alexandrovitch, à Montréal. La mère de l'enfant m'a promis qu'elle nous rejoindrait dans un autre bateau. Elle était sur le point d'enfanter. « On essaie de m'enlever mon fils, je vous en supplie, prenez-le ! », m'avait-elle crié. Ça n'a pas été difficile de retrouver Dimitri à Montréal, il n'y avait que lui de ce nom.

— Pourquoi fuyiez-vous, Maryshka ?

— Ils nous ont pris nos terres, nos maisons, ne vous rappelez-vous pas ?

— J'étais trop jeune à l'époque. Pour quelle raison avait-on voulu enlever Christophe à sa mère ? Par vengeance ? Par pure cruauté ?

Anne se rendit bientôt compte qu'il était très difficile pour Maryshka de rassembler ses souvenirs. Elle était prématurément vieillie.

— Maryshka, j'ai vu un sosie de Christophe, tout à l'heure dans la rue, ça ne peut être une coïncidence !

Maryshka savait, mais continuait à marmonner au passé :

— Quand ils sont venus, j'ai eu très peur. Vous voulez me voler ma terre, disait mon frère, elle me vient de mon père, vous n'avez pas le droit. Alors, ils l'ont poussé hors de sa maison. Sa femme et moi le suivions en pleurant. Puis, je me suis sauvée. Je ne les ai plus revus. Plus tard, je suis revenue épier chez mon frère. J'ai fait le tour de sa maison. Il n'y avait plus signe de vie. J'éprouvai dans mon cœur un vide abominable. Et il n'y avait plus personne dans les autres maisons. Elles n'avaient plus d'âme.

Maryshka échappa quelques autres mots en polonais, puis reprit son souffle.

— Le lendemain, je me dépêchai de rassembler toutes mes affaires et j'acceptai la place qu'on m'offrait dans un bateau parmi des centaines de gens qui, comme moi, préféraient se sauver plutôt que de plier devant ces nouveaux maîtres. Ils détruisaient tout.

— Je vois, nous sommes à la fin de la guerre. C'étaient les Soviets ? Ils venaient vous imposer le régime communiste ?

— Vous ne pouvez vous imaginer. Ces hommes ne se gênaient pas pour commettre les pires ignominies au nom du Parti. Nous en avions fini avec les nazis, vous savez, ces envahisseurs de la dernière guerre, mais cette fois-là, nous devions obéir aux Soviétiques.

— En quelle année était-ce ? Que sont devenus vos compagnons de voyage ?

— C'était en 1947, peu après la guerre. Quelques passagers de notre bateau parlaient d'aller cultiver des terres au Canada, des terres qui leur appartiendraient. D'autres songeaient à s'installer dans les villes.

Tous ces Polonais des rives de la rivière au sable rouge – Christophe a dû vous les décrire dans ses lettres –, ont peut-être fui la Pologne en cette année dont vous me parlez ? Et pour les mêmes raisons ?

— Je ne sais pas. Ce petit qu'on m'a confié devint ma raison de vivre. Il était un cadeau du ciel pour moi qui n'ai jamais eu d'enfant. Parlez-moi de Christophe. Est-il heureux ?

Souriante, Maryshka poursuivit :

— Débarqué avec moi à Montréal, au bout de ce long voyage, le petit a réclamé sa mère pendant un temps. Puis, je l'ai remplacée du mieux que j'ai pu. Je le surprenais parfois, immobile au milieu de ses jeux, regardant au loin. Ses grands yeux noirs voulaient percer les ténèbres des vérités qui lui échappaient. Je n'ai jamais pu retracer la femme de Dimitri. J'ai tout essayé, croyez-moi. Mon maître à qui je servais parfois de mémoire et moi avons écrit là-bas, en Pologne. Nous n'avons jamais reçu de réponse. Je me suis même rendue dans mon pays, à la demande de Dimitri. Je ne fus guère plus avancée. Et si les gens de votre famille étaient tous morts, lui avais-je dit alors. S'ils avaient tous changé de nom ?

— Tout allait si mal en Pologne depuis la guerre ! Tout y était si désorganisé ! Et maintenant, que penser de ce frère de Christophe ? Il a surgi sans crier gare. Vous l'avez croisé en bas, m'avez-vous dit. Il sortait de chez moi. Le hasard des événements, m'a-t-il confié tout à l'heure, l'aurait mis sur la piste de Christophe et de Dimitri. Il les avait crus perdus à tout jamais, comme on l'avait signifié à sa grand-mère, il y a vingt ans. Il cherche sa mère. Il sent qu'elle est vivante. Il sonde le pays.

— Alors, il est le fils de Dimitri. Et dire que celui-ci n'en sait rien !

— Toujours inconscient, m'a-t-on répété ce matin à l'hôpital. Le frère de Christophe assure qu'ils n'ont jamais possédé la preuve, là-bas, que sa mère soit morte en couches, comme on l'avait annoncé à la mère de Dimitri, au lendemain de la naissance de son petit-fils. Celle-ci l'avait pris avec elle, à la demande de l'infirmière de l'hôpital de notre ville et elle l'a recueilli. Je ne sais rien de plus... Dimitri se fiait à moi pour chercher ceux dont il ne se souvenait même plus... Il parlait souvent d'un train...

— Oui, je me souviens de ce rêve de Christophe. Il me l'a raconté. Il y avait un train et un personnage répétant les mêmes mots que laissait échapper Dimitri dans ses délires, des mots en polonais. Maintenant, je dois partir, Maryshka. Puisque Christophe n'est pas venu, je vais le chercher. Quelqu'un le suit et tente de l'intimider, je présume. Dites-moi, quel est ce hasard qui a informé le frère de Christophe que les Alexandrovitch sont encore en vie ? Et les ambassades, quel rôle jouaient-elles quand vous vous êtes rendue dans votre pays ? N'étaient-elles pas au cœur de votre recherche ?

— Tout y était si embrouillé depuis la guerre. Elles annonçaient la mort, dit-elle, en guise de réponse.

Chapitre 8

PAGES RÉVÉLATRICES

Tandis que pour remettre de l'ordre dans ses pensées Maryshka reprenait les mailles de son tricot, Anne remontait la rue des Érables, défiant les affronts du vent. Il achèverait à coup sûr l'érable du 89.

Cet arbre n'est pas jeune. Existait-il en 1947 ?, songea-t-elle en l'examinant. J'avais bien quatre ans à l'époque.

Anne entra dans la bibliothèque pour y prendre un document indispensable à la conclusion de sa thèse.

Voyons, regardons dans les P. Les soins post-traumatiques... la Pologne...

« La Pologne très gravement touchée par deux guerres et par deux occupations.

« 1945 L'armée rouge à Varsovie, la conférence de Yalta fixe les frontières de la Pologne.

« 1947 Triomphe des communistes et de leurs alliés aux élections. Des émeutes populaires suivent à plusieurs reprises... »

Anne lut quelque temps. Elle comprenait un peu mieux maintenant. Elle sortit rue Sherbrooke et se dirigea vers la partie ouest de la ville. Ses pensées la suivirent. Ses yeux qui scrutaient la ville eurent la nostalgie des sables fins des rives de son lac.

Bon, il y a eu le lac et la brume. Et les yeux tourmentés de Christophe que je veux retrouver. Peut-être y est-il retourné ?

Un rayon de soleil traversa les nuages pour ralentir son pas. Elle se calma.

Je ne connaissais rien de cette histoire d'après-guerre ! s'étonna-t-elle. J'ai hâte d'en apprendre la suite. Si au moins je pouvais en parler à Christophe.

Le frère de ce dernier arpentait le trottoir.

— Monsieur Alexandrovitch ?

— Roman, appelez-moi Roman.

Le jeune homme s'exprimait dans un français saccadé.

— Je vous ai vue sortir de chez mon père, puis entrer à la bibliothèque. Je vous attendais. Vous connaissez Christophe. Qu'est-il pour vous ?

— Un ami, c'est pour lui que je suis ici.

— Alors, remettez-lui ceci de ma part. Je dois m'embarquer pour la Pologne. Ma vie est en danger ici. J'étais venu voir mon père et mon frère, ça n'a pas fait l'affaire de certains. On a tout fait pour m'empêcher de leur parler.

— J'ai deux chez-moi, l'un dans la ville, l'autre dans les bois. Voici mes adresses. N'hésitez-pas. J'acheminerai vos missives si vous le désirez.

— Votre père est inconscient. Il ne va pas bien.

— Maryshka m'a tout dit. Au fait, j'ai habité près de chez vous, dans votre vallée, au mois de décembre dernier. J'avais loué une chambre au village.

— Comment avez-vous su dénicher votre père ? Qui donc s'acharne ainsi contre vous ?

— J'en aurai bientôt le cœur net. C'est tout à fait par hasard que j'ai su que mon père et mon frère vivaient à Montréal. Je vous expliquerai. Je l'avais appris par une amie à moi, en Pologne. Je me hâtai aussitôt de prendre le premier bateau. En débarquant, j'ai fait paraître une annonce dans les journaux. Des gens de votre village en ont pris connaissance et m'ont fait signe. C'est ce que je voulais. Ils étaient les amis de Dimitri avant de perdre sa trace. Ils l'ont cherché longtemps dans les eaux du Richelieu. Ils le pensaient mort. La veille de Noël, quelqu'un a forcé ma porte pour tout chambarder dans mon logement. Je m'étais rendu chez Dimitri. Et cet intrus a utilisé mon téléphone, puisque l'appareil était renversé à mon retour. Mon père a parlé, du moins je le suppose, à celui qui a fouillé mon logis et qui avait intérêt à ce que moi et lui ne nous rencontrions jamais. Heureusement, l'intrus n'a pu me prendre ces vieux journaux. Les voici, je les avais en poche. Je vous les confie. Je vous en prie, faites-les parvenir à Christophe. Dites-lui d'être patient. Conseillez-lui d'être attentif à tout inconnu de passage. Qu'il se méfie, même de ceux dont il connaît l'identité. Tous circulent librement dans ce pays, mais quelques-uns ne le feront peut-être pas longtemps.

— Je préviendrai Christophe qu'il a un frère et un pays qui l'attendent. Je te remercie, Roman. Sois vigilant, de ton côté de l'océan. Au fait, où as-tu appris les rudiments de la langue française ? Christophe sera conquis par ta débrouillardise. Il ne voudra pas te perdre.

* * *

Christophe n'était pas allé très loin, simplement interroger les gens de son rêve, les gens de Belœil. Autour d'une charmante vieille gare, les gens et des bateaux sur la rivière. Une femme habitant une maison située sous le pont, ou presque, lui raconterait peut-être ce mois d'août 1947.

Les habitants n'aimaient pas ce dangereux pont des chemins de fer, constante tentation pour les jeunes. Au-dessus de la rivière, il n'y avait pas suffisamment de place à la fois pour un train et pour un homme... Personne n'avait rien de précis à relater. Pourtant...

— J'aurais peut-être pour vous le renseignement tout désigné, dit un promeneur. Il y a très longtemps, à l'époque dont vous me parlez, un homme a été blessé en sautant de ce pont sur le Richelieu. Il s'est jeté à l'eau et sa tête a heurté la proue d'un bateau.

— À moins qu'il n'ait été balancé hors du train qui passait, renchérit son copain. Il n'y a pas de passerelle sur le pont.

Enfin, un témoin affirma avoir vu plonger une autre personne à la suite de la première. Puis, une dame déclara avoir deviné que le premier homme avait coulé, alors qu'une autre jura l'avoir vu se faufiler derrière des arbres et s'éloigner vers la grand-route.

Perdu dans ses réflexions, il n'émergea que lors du passage du train de cinq heures qui ébranla le pont. Christophe s'attarda un peu, puis se dit qu'il était temps de retraverser le Saint-Laurent, sur des rives où l'attendait la paix.

Chapitre 9

UN ÉCLAIRCISSEMENT

Il y avait une lettre pour Christophe à la poste du village. Elle était d'Anne.

Cher Christophe,

Pardonne-moi, la curiosité et le désir de te venir en aide m'ont amenée ici dans ton coin de ville. Je te suppose revenu au lac.

Il me faut te dire. Tu as un frère. Tu t'en doutes ? Il était venu chez toi la veille de Noël. Je l'ai vu. Il se nomme Roman. Il cherche sa mère, enfin, votre mère. Il la croit vivante. Je t'envoie ces vieux journaux, il me les a remis pour toi.

Je reviendrai bientôt,

Anne.

Irrité, il ne voulait pas qu'Anne courre des risques pour lui. Christophe prit les journaux et, pressé de comprendre la signification exacte de ces textes, alla les faire traduire au village chez une dame polonaise.

La femme traduisit en français :

Août 1947

DISPARITION DU DOCTEUR DIMITRI ALEXANDROVITCH

Un silence de tombe s'est abattu sur la salle de concert de la ville de Lublin après que le chef d'orchestre, Stephan Olesky, figé sur place, ait cessé soudainement de diriger ses musiciens. Il aurait ensuite crié au docteur Dimitri Alexandrovitch qui était parmi les auditeurs : « Tu reconnais ce type ? Suis-moi, attrapons-le ! » Les deux hommes se dépêchèrent vers la sortie, bousculant violons et chaises sur leur passage. Depuis, impossible de les retrouver. Toute personne capable de fournir quelque indice est priée d'en informer les autorités. On a absolument besoin du docteur Alexandrovitch à l'hôpital pour une opération fort complexe.

Intriguée, la dame polonaise se saisit du deuxième journal et continua :

(...) le réputé chef d'orchestre, né en Pologne, a eu sa première formation musicale dans la tradition de Lublin... Olesky, qu'on avait accusé d'avoir contribué à tuer des Juifs durant la dernière guerre, alors qu'en réalité il avait sauvé des centaines de ces malheureux, n'a jamais éprouvé de sentiments antisémites. Il venait de prouver son innocence dans un procès en appel (...)

Le troisième journal donnait la description physique du Dimitri disparu, et Christophe n'eut plus de doute, il s'agissait bien de son père. Il savait aussi que ce monsieur sans âge, ce Frank, habitant de la vallée de la Rouge, détenait une partie de la vérité. Maintenant, le temps était venu pour lui d'aller au rendez-vous suggéré par ce dernier, le jour des funérailles de son ami Josef. Christophe avait déjà trop tardé.

Effectivement, le lendemain, il se rendit, journaux en main, frapper à la porte de la petite maison fleurie, aux odeurs de bois de cèdre qu'habitait l'homme au cou penché.

Il ouvrit. Était-ce bien lui l'homme de la brume ? Allait-il mourir lui aussi ? Comme il avait l'air mal en point !

Frank parla longuement de Dimitri qu'il avait naguère cherché à Belœil, près du pont des chemins de fer au bord de l'eau.

— Nous avions réussi avec lui et ses amis à fuir la Pologne. Nous avons pris un train au port de Québec. Plus tard, il a sauté dans le Richelieu. Je l'ai suivi pour tenter de le sauver. J'ai repris conscience à l'hôpital. J'avais très mal au cou. Votre compagnon a coulé, m'a-t-on dit, à mon réveil. Je n'ai jamais retracé son corps.

— Pourquoi mon père a-t-il sauté ?

— Nous le suivions. Nous étions plusieurs Polonais dans ce train. Nous venions de notre pays. Nous roulions vers Montréal en cet été 1947. Ton père avait de bonnes raisons de croire qu'on voulait le tuer. Nous étions quatre amis parmi tous ces Polonais. Ton père, Josef, et moi avions accepté de prêter main forte au musicien Olesky qui voulait arrêter un détraqué. Celui-ci avait, selon ses dires, fait beaucoup de mal pendant la guerre. Nous avons dû sauter du train, Dimitri et moi. Nous avons plongé dans la rivière. L'individu poursuivi par nous avait de trop nombreux complices. Le vent s'était retourné contre nous. Nous, les poursuivants, étions devenus les poursuivis.

— Et mon père fut déclaré mort, noyé ?

— Cela en arrangeait plusieurs. Et nous les avons crus. Néanmoins, ce n'était là que des suppositions. Mais puisque Dimitri avait perdu la mémoire, comme nous l'avons appris cette année par ton frère, il était donc pour ses poursuivants hors d'état de nuire. Alors, ils l'ont laissé tranquille.

— Mon frère vous a appris, dites-vous ? Je vous en prie, expliquez-moi !

— Mais oui, il n'y a pas si longtemps, une jeune Polonaise est venue en vacances ici. Les temps ont changé, les gens de son pays sont assez libres de leurs allées et venues aujourd'hui. Elle est entrée dans la boutique de Dimitri à Montréal. Elle était une amie de Roman, ton frère. Il semble qu'elle a été saisie à la vue du nom d'Alexandrovitch, inscrit en gros caractères sur la façade du commerce d'antiquités. Elle a télégraphié immédiatement à Roman en Pologne. Il lui avait un jour révélé que c'était son vrai nom. Par précaution, sa grand-mère, qui est aussi la tienne, l'avait changé. Elle et Roman avaient, en plus, en ces temps troublés, quitté la ville pour s'installer à la campagne.

— La mère de mon père ?

— Oui.

— Et ce Roman, comment vous a-t-il retrouvés ?

— Par un appel lancé dans les médias du Québec, aussitôt débarqués à Montréal. Il ne pouvait ignorer cette missive reçue de son amie polonaise. Il est venu vérifier immédiatement pour savoir qui était cet Alexandrovitch qui tenait une boutique d'antiquités à Montréal. L'appel public de Roman a été capté par nos ennemis, j'en mettrais ma main au feu. Le contraire serait étonnant.

— Pourquoi avoir mis tant de temps à m'en informer ?

— Tu sais, Josef vient de mourir. Il t'aimait bien. Trop d'émotions auraient hâté sa mort. Il était très fragile. Nous avons préféré attendre la fin de son agonie, par respect. Il t'a connu tout petit, en Pologne, comme moi d'ailleurs. Pour l'amour de la paix, il ne voulait pas que tu saches...

— Mais que je sache quoi ?

— Que l'artisan des malheurs de ton père habite près d'ici. Nous avons soupçonné cela dès notre installation au village. Il nous observe depuis vingt ans. Quand Roman est venu, cet homme l'a reconnu, on n'oublie pas une tête comme celle des Alexandrovitch. À propos, Roman a de bonnes raisons de croire qu'il a fouillé son appartement.

— Lui ? Pourquoi, lui ?

— Qui d'autre ?... En cet été 1947, ton père, Josef, et moi avions accepté de prêter main forte au musicien Olesky qui voulait arrêter le détraqué. L'individu que nous poursuivions avait de nombreux complices. Ils seraient les plus forts, craignions-nous. Pendant que nous franchissions la rivière Richelieu dans le train que tu sais, Dimitri a sauté, puis je l'ai suivi. Avant que les autres ne réagissent, le train avait déjà traversé la rivière pour s'immobiliser en gare de Saint-Hilaire.

Christophe demanda grâce à Frank :

— Laissez-moi souffler un peu, cela fait beaucoup d'information en même temps.

— Ta bonne, Maryshka, a parlé de toi à Roman. Il compte sur toi pour...

On les épiait. Frank et Christophe sortirent très vite, repérant au loin un être aux yeux perfides qui se cachait dans un bosquet de sapins noirs. Ils eurent le temps de reconnaître l'ombre de son long menton dépassant celui de toute sa silhouette.

— Encore celui-là ! A-t-il perdu la raison ?

— Ses agissements ne sont pas ceux d'un homme sensé, dit Frank. Et plus nous l'observons, plus nos doutes se révèlent plausibles. C'est lui que nous poursuivions, Dimitri, Stephan, Josef et moi, lors de notre fuite de Pologne. Lui, et sous ses ordres, ses complices, quoiqu'ils aient modifié leur apparence physique.

— En effet, quel drôle de comportement ! Il me faut vous dire que j'ai en main de vieux journaux que Roman m'a fait parvenir par l'entremise de mon amie, Anne. Les voici.

Frank les lut à son tour en arpentant l'appartement.

Chapitre 10

LA VERSION DE FRANK

— Oui, c'est bien ainsi que ça s'est déroulé, affirma Frank en repliant les journaux. Et puis Stephan Olesky nous a pressés tous les trois. Dès l'aube, nous devions prendre le bateau. En ce temps-là, tout valait mieux que ce que nous vivions en Pologne où nous devions composer avec une foule de règlements. Il n'y avait plus de liberté pour nous. Chaque travailleur, médecin, ouvrier, commerçant, artisan devait déclarer ses heures de travail, ses revenus, ses dépenses... Peu importait au gouvernement les goûts et les besoins de chacun. On nous trompait, on voulait nous faire accepter ce régime communiste, le présentant comme la voie du progrès. Ce n'était pas le cas, nous éprouvions de la gêne. Nous ne vivions pas de façon convenable et nous travaillions pour une maigre pitance. Ce régime ne profitait pas aux Polonais. Nous n'étions pas dupes à ce point, nous ne voulions pas obéir à ces nouveaux dirigeants de notre pays. Toutes leurs usines, ils les construisaient avec l'argent du peuple, et pour le peuple, comme ils le prétendaient. Nous étions devenus les martyrs du gouvernement. Plus personne ne crevait de faim, comme on nous le certifiait, mais nous nous nourrissions mal. Les affiches des villes clamaient : « Tout appartient au peuple. » C'était faux. Le coût de la vie était cent fois plus élevé qu'avant. Et le gouvernement s'appropriait nos salaires en percevant des taxes et des impôts incroyables. Quelle injustice ! Nous ne voulions plus de ce régime. Nous avons élaboré le projet de nous établir au Canada, au Québec plus précisément. Et c'est ce que nous avons fait. Nous formons depuis cette petite collectivité de Polonais. Nous sommes tous des fugitifs du régime communiste de Pologne. Nous avons dû apprendre le français, puis l'anglais. Nous nous rencontrions fréquemment. Josef prit femme. La vie s'écoula. Voilà.

— Qu'est devenu le musicien ?

— Il est retourné au pays. Un jour, l'infirmière qui m'avait pris en charge dès mon entrée à l'hôpital, après mon plongeon dans la rivière – je retournai la voir fréquemment, elle soignait mon cou –, m'informa qu'une Vladia errait parfois sur les bords du Richelieu, espérant voir réapparaître le corps de son mari. Vite j'y suis descendu pour la chercher, mais je ne l'ai pas trouvée. J'ai demandé à l'infirmière de dire à Vladia que Frank était venu. Je lui ai laissé le numéro de mon casier postal. Vladia ne tarda pas à m'écrire. Elle me supplia de ne pas venir, de faire parvenir mes lettres à l'infirmière à qui j'avais parlé. Cette dernière les lui ferait suivre. Vladia est ta mère, tu l'as sans doute deviné.

— Comment a-t-elle su pour Dimitri ?

— Quelqu'un avait fait paraître dans les journaux la fausse nouvelle de la disparition de ton père dans la rivière. Tiens, écoute.

Et Frank lut le passage de la première missive envoyée par Vladia, en la traduisant :

(...) on dit que Dimitri est mort, mais je veux en avoir le cœur net. (...) et qu'est devenu mon petit Christophe ? J'aurai besoin de toi, Frank, mais pour l'instant, ne te manifeste pas. Je sens qu'on me file (...)

Christophe fut pris d'un haut-le-cœur devant toute cette cruauté de l'homme pour l'homme, devant tant de mensonges.

* * *

D'abord passer voir Maryshka, décida Christophe après ce pénible entretien chez Frank. Tout le long du trajet, il revit Anne en pensée, cette grande fille farouche et fière, et son regard de biche traquée, sans ruse. Que j'en finisse avec ce cauchemar et qui sait, m'attendra-t-elle ? En descendant la rue des Érables, il l'aperçut soudain. Elle descendait l'escalier du 89.

— J'aime bien ta Maryshka, dit Anne, en guise d'explication à sa présence chez Christophe. Je passais par ici. J'ai eu l'idée de venir sonner chez toi. Nous avons causé.

Dieu que je déteste qu'on me juge ainsi !, pensa Anne.

— Pas difficile d'aimer Maryshka, crut bon de confier Christophe. Elle m'a bercé, soigné, chéri. Elle n'avait que moi.

En effet, c'était à la fois son père et sa mère, personne d'autre n'avait procuré à Christophe un tel sentiment de sécurité. Maryshka avait chanté en polonais de tendres berceuses pour l'endormir le soir quand il était bambin afin de chasser son désespoir. Maintenant qu'il avait vaincu sa dépression, il pouvait mieux analyser ses sentiments profonds. Il était fort.

Christophe décida de partir pour la Pologne afin d'interroger sa grand-mère. Des hommes malveillants n'étaient pas étrangers aux malheurs de son père. Ils devinaient qu'on dénoncerait leurs crimes. Christophe connaîtrait bientôt les coupables et la nature de ces crimes. Ils en paieraient le prix.

— Cette maison est ton chez-toi, dit-il à Maryshka, au moment de son départ. Sois heureuse et ne t'inquiète pas. J'emporte ce vieux lexique polonais. Tu ne me l'as pas confié pour rien. Et je reviendrai.

Tout au long de sa traversée vers son pays, Christophe explora les pages écornées du vieux dictionnaire de Maryshka, dont les mots se précisèrent. Il s'efforça de les assimiler.

Chapitre 11

LA VERSION D'UNE GRAND-MÈRE

Jadis on avait brouillé les pistes en Pologne pour que personne ne puisse retrouver la famille Alexandrovitch, alors en danger. C'est ainsi que ni Dimitri, ni Christophe, ni Maryshka n'avaient pu la retrouver. Ils avaient tous tenté quelques vaines démarches. Mais cette fois, grâce aux indications fournies par Roman, Christophe sut où se diriger dès son arrivée.

— Comme tu lui ressembles ! murmura la vieille grand-mère lorsqu'elle le vit entrer.

Des larmes coulaient sur ses joues rebondies. Elle les essuya de ses grosses mains veinées qui avaient travaillé dur pour faire vivre son petit-fils, Roman. Elle était très calme. Comme ce jeune homme lui rappelait son Dimitri, son fils aux yeux verts ! Ceux de Christophe, si foncés, l'avaient beaucoup étonnée dès sa naissance et l'étonnaient encore aujourd'hui. Ils lui venaient sans doute de sources anciennes. Ne portait-il pas un nom à consonance juive ? Elle n'avait pas à lui demander de s'identifier, elle le reconnaissait, lui, Christophe, revenu de très loin. Pourtant, elle l'avait cru perdu avant ce signe du ciel reçu par Roman.

Pour la vieille femme, dire à Christophe combien elle avait souffert n'était pas nécessaire. Les mots n'exprimeraient jamais l'ampleur du tourment qui avait brisé son cœur. Elle aussi avait cherché à retracer Dimitri et son fils. Des gens sans scrupules l'avaient trompée, en lui annonçant leur mort. Aurait-elle voulu pousser plus loin ses investigations ? En ce temps-là, il n'était pas question de sortir de Pologne. La garde communiste veillait.

La grand-mère filait son lin tout en dépeignant à Christophe les événements ayant changé le cours de l'année 1947, en Pologne. Les deux mêlaient le français et le polonais, cherchant à se comprendre du mieux qu'ils le pouvaient :

— L'opinion publique était partagée. Pour résumer la situation, dans notre région, il y avait les traîtres pour les uns, les lâches pour les autres. C'est comme ça que nombre de nos compatriotes percevaient les choses. Les lâches étaient ceux qui abdiquaient et les traîtres, ceux dont l'anti-communisme était puissant. Et certains avaient une opinion tout à fait contraire. Un soir de l'année 1947, ton père assistait au concert donné par l'orchestre symphonique de Lublin sous la direction du chef Stephan Olesky, son grand ami. Tout à coup, Stephan se mit à courir vers la sortie, entraînant ton père à la poursuite d'un homme qu'il avait reconnu dans la salle. Plus tard, ils revinrent à la maison, bredouilles, l'homme les ayant semés. Stephan nous expliqua quelle ordure venait de leur échapper : « Il a conduit des innocents à leur perte, il a volé des enfants, il a… c'est une saleté ! Il continuera à faire du mal si nous ne l'arrêtons pas. » Tandis qu'il nous décrivait les gestes immondes commis autrefois par le fuyard, des gamins, ayant vu tout ce qui s'était passé à la sortie de la salle de concert, vinrent avertir Stephan et Dimitri que l'homme – ils l'avaient filé, eux aussi –, se trouvait au port à bord d'un bateau devant partir à l'aube, le lendemain. Prévoyants, Dimitri et Stephan avaient depuis longtemps retiré des banques tous leurs biens pour pouvoir filer en douce au moment propice avec ta mère et toi. Ils avaient mûri ce projet pendant des mois. Ils refusaient le nouveau régime oppresseur qui sévissait en Pologne et s'acharnait à nationaliser les avoirs des citoyens. Ils avaient préparé leur départ dans les moindres détails. Ils durent le précipiter.

Et la grand-mère continua :

— Je n'allais pas les suivre, je n'en avais pas le courage, mais j'observais. Chaque jour, les rues fourmillaient de villageois malheureux fuyant leur foyer. Ce qu'on leur imposait était devenu un trop grand sacrifice. Toute cette détresse chez ces jeunes et ces vieux attachés à leurs coutumes faisait pitié à voir. Je souhaitais mieux pour les miens, et je ne leur en voulais pas de fuir. Nous, les millions de Polonais qui restaient, nous avons dû rompre avec notre passé. Stephan et Dimitri ont pris la décision de prendre ce bateau du lendemain. Toi et Vladia, ta maman, deviez les rejoindre un peu plus tard. Ils nous demandèrent de n'en rien dire à personne. « Cette canaille a ses complices ici, avait prévenu Dimitri. Du moment qu'ils sauront que Stephan et moi travaillons à leur mettre des bâtons dans les roues, ils s'en prendront à vous. Cachez-vous, changez de nom. Ne vous inquiétez pas, nous punirons ces misérables. » Ton père désirait soigner les pauvres gens, ceux de la ville, ceux de la terre. Il les aimait et, en retour, on l'aimait en dépit de ses humeurs changeantes. Plutôt que de heurter les uns ou de blesser les autres, il allait, quand son mal de vivre l'envahissait, se réfugier dans nos forêts, qui regorgeaient de gibier, et ce jusqu'à la fin de sa crise. C'est ainsi qu'il fut pris dans une suite d'événements menaçants pour lui, qui souffrait d'un mal indéfinissable. Sa fatigue de la vie était profonde, ses joies, singulières, presque démentes. Lui-même ne les concevait pas.

La grand-mère reprit son souffle.

— Alors ?

— Ta mère était enceinte. Plus tard, elle n'a plus eu le choix, elle prit la décision de te confier à ton père qui te protégerait mieux que nous, étant donné les circonstances. « Rendez-vous au Canada, à Montréal », avait-il dit en partant. Vladia avait raison. Un soir qu'elle marchait dans la rue, elle avait senti qu'on l'épiait. Et si c'était ce voleur d'enfants, si Dimitri ne l'avait pas capturé, avait-elle craint. Alors, elle ne tarda plus. Elle profita du départ d'un autre bateau en partance pour le Canada, qui, dans ses cales, cachait des fugitifs. Elle avait pris des renseignements sur une certaine Maryshka à qui elle te confia. Elle la supplia de t'emmener à Dimitri Alexandrovitch à Montréal. Puis, elle s'en fut mettre au monde son petit qu'on m'emmena le lendemain, car la mère était morte en couches par manque de soins. Elle était pourtant resplendissante de santé lorsque je lui avais parlé pour la dernière fois à la porte de la maternité.

Puis, la dame âgée se tut, étranglée par l'émotion.

— Un jour, le communisme sera aboli en Pologne, grand-mère, je vous le garantis.

Et Christophe enchaîna, racontant à sa grand-mère l'accident de Dimitri, sa perte de mémoire et tout le reste. Elle l'hébergea pour la nuit et le lendemain, de ses yeux graves, il regarda la Pologne, son pays natal, pour s'en imprégner. Il était étonné. Quelle différence avec la Pologne qu'on lui avait racontée ! L'austérité était inscrite partout, surtout sur les visages. Une Pologne pauvre, comme endormie, avait tant souffert qu'elle avait gravé sa tristesse dans les yeux de son peuple.

Christophe aimait ces lacs, ces forêts denses et profondes qu'on avait ravis à ses grands-parents. Il s'attarda, il écouta la voix de ses ancêtres. Il contempla son beau pays. Hélas ! ses habitants n'y connaissaient plus le mot « liberté ».

D'un cœur ému, il retrouva les souvenirs de Maryshka dans la ville qu'elle lui avait décrite. Et lui, fils d'un médecin du même endroit, chercha les traces des pas de son père sur les pavés. Cependant, il rêvait toujours à sa lointaine forêt du lac. Anne s'y promenait.

Chapitre 12

UN FOU AU CIMETIÈRE

De paresseux goélands réfléchissaient au large, aux temps bénis où ils planaient au-dessus des flots d'une mer propre. Anne évoquait Christophe et ses yeux lançaient des flammes.

Elle n'avait plus rien à faire, elle en avait conscience, ni rien à dire au moment des retrouvailles des Alexandrovitch. Alors, elle était revenue chez elle.

Et puis, je préfère ne pas aimer, j'aurais trop mal, décida-t-elle. Elle reprit donc ses occupations. Mais d'où me vient cette impression de mission à accomplir coûte que coûte ? Ce drame ne me concerne pas. Je devrais me mêler de ce qui me regarde. À moins que l'occasion ne se présente. Elles me poursuivent, les occasions. Hier, j'ai vu des traces dans la boue, je les ai suivies jusqu'au village tranquille, jusqu'au cimetière.

Une atmosphère morbide régnait. Un abbé s'y promenait qui, pour vaincre sa peur, parlait à ses fidèles défunts. Rien d'inquiétant pour Anne tout d'abord, mais plus loin, tout au bout, des pas semblables à ceux observés chez elle, avaient piétiné l'endroit où reposait le dernier venu. Ils l'avaient fait de façon brutale, c'était évident.

Anne se tapit dans l'ombre et attendit, ne sachant que faire. Les nuages hésitaient entre le beau temps et la pluie.

Et le vent décida. Trop content d'exercer son pouvoir, il renversa les bouquets offerts aux défunts. Soudain, dans la lueur d'un premier éclair, Anne vit avec stupeur un visage tordu de haine regardant la terre. Un homme était venu faire, à sa façon, ses adieux au disparu qu'il n'avait sûrement pas aimé.

L'homme était nerveux, il avait commencé à creuser dans la terre autour de la tombe qu'il avait abîmée. Sur un fil, une tourterelle triste regarda une jeune fille s'avancer vers l'homme.

C'est le petit homme de Christophe ! Pourquoi vient-il déterrer les morts ?

En l'entendant venir, l'homme sursauta et la fixa de son regard perfide. Anne eut peur et s'en fut avertir les policiers. Ils confièrent ce drôle d'individu au personnel de l'aile psychiatrique de l'hôpital régional puisqu'il était assurément fou, selon l'un d'eux.

Montant son cheval bai, la petite fille avait tout vu. Elle frissonna. Elle tira l'étoffe couvrant le dos de son fidèle ami pour s'en draper.

Et voilà, nous en avons fini avec ce petit homme. Il nous laissera tranquilles, conclut Anne. Il vaut mieux oublier tout ça. Consterné, le pauvre abbé qui avait accompagné Anne et les policiers leva son chapeau pour les saluer avant de quitter les lieux.

Comme elle s'installait le lendemain pour continuer sa thèse laissée en suspens, Anne fut soudainement interrompue par la sonnerie du téléphone. Christophe était au bout du fil.

— J'aurais besoin de toi, Anne. Tu as déjà habité la rive sud. Tu pourrais me guider. Je t'attends.

Elle accepta, sachant que sa vie pourrait basculer d'un instant à l'autre.

Elle connaissait bien ce pont au centre de la misère de Christophe, ce pont du haut duquel Dimitri avait sauté en 1947. Elle l'avait entendu geindre dix fois par jour sous le poids des trains pendant un séjour à Belœil.

Pourquoi m'embarquer dans une pareille galère alors que j'ai tant à faire ? Vais-je passer ma vie à changer d'avis ? D'où me vient ce besoin d'appartenir à un homme. Il y a tant de sortes d'amour dans le monde. Mais il y a aussi la haine. Et elle est bien présente. Observer ces malades de l'aile psychiatrique de l'hôpital ne nuirait pas à ma thèse et m'aiderait peut-être à comprendre pourquoi les hommes sont si méchants. Je m'y rendrai demain. Ce soir, la forêt qui m'enchante parfois est triste à mourir. Le lac ? Une flaque étale et grise. Le danger me guette en ce moment de céder, de renoncer à mes choix.

L'éclair de colère traversant les yeux de Christophe, l'autre jour, avait signifié à Anne qu'en le gagnant, lui, elle perdait sa très chère liberté.

Chapitre 13

ÉTRANGE ASSERTION

Dès son retour à Montréal, Christophe était venu rejoindre Maryshka pour lui dire son bonheur d'avoir vu sa Pologne natale. Demain, Anne le rejoindrait. À propos de celle-ci, il ne se posait pas autant de questions qu'elle au bord de son lac. Tout était clair pour lui depuis ce jour où il l'avait vue pour la première fois. Dire qu'il n'y a pas si longtemps, il avait désiré en finir avec la vie. Quand on veut se tuer, est-ce qu'on pense à ce qu'on n'a jamais eu le temps d'apprendre, à l'amour, où qu'il soit, aux enfants pouvant naître de soi ? Heureusement, cette direction sud, prise un soir de décembre de l'année précédente l'avait sauvé. L'odeur de la neige et cette respiration profonde lui étant venue comme un cadeau du ciel, l'avaient libéré. Quel crime avait-il failli commettre envers lui-même et envers les autres, ceux qu'il aimerait !

Anne ? Il l'avait élue entre toutes et voulait la protéger. L'idée ne l'effleurait même pas qu'elle pût se refuser à lui. Ce soir-là, il avait en tête les brumes du lac, il aurait voulu les traverser pour venir la rejoindre. Anne, au regard étonné, grand ouvert sur la vie, l'interrogeant sans cesse et captant avec stupeur les photos qui en résulteraient. Anne l'avait irrité parfois, mais il ne voulait pas qu'elle risque sa vie pour lui. Il présumait savoir diriger ses pas, mais il avait peur qu'elle trébuche tant elle lui semblait fragile.

Anne, de son côté, d'un pas décidé empruntait la route d'où l'on apercevait l'hôpital de très loin. Elle se rendit à l'aile psychiatrique pour y poser diverses questions. Sa curiosité fut très vite satisfaite.

Péniblement, le petit homme, monsieur Schwartz, escorté d'une infirmière et pacifié par une médication appropriée, avançait dans le corridor. Passant à la hauteur d'Anne, il annonça :

— Il y a beaucoup d'argent sous terre, vous verrez.

Anne n'obtint rien de plus. De retour chez elle, pensant au message pour le moins insolite du petit homme, elle se questionna : Qu'a-t-il voulu dire ? Qui sait s'il n'y a pas du vrai dans son délire ?... Voyons, Anne, ça n'a pas de bon sens ! Il aura voulu s'amuser à tes dépens ! Enfin on verra bien. Il n'avait pas l'air de plaisanter.

* * *

Il avait encore plu ce jour-là. Le héron errait et les merles festoyaient. Des bouleaux croissaient et le renard rôdait. La forêt se séchait au soleil, radieuse, en bruissant doucement. Anne plia bagage et la quitta à regret. Elle l'aimait tant en dépit de ses mystères, quand elle ne la craignait pas. Et aujourd'hui, elle était toute propre. Ses sources hier asséchées s'étaient gonflées. Anne y puisa sa provision d'eau pure.

Ça jase dans la forêt. Ça se querelle, on se dispute des territoires. J'y reviendrai bientôt pour écouter.

* * *

Montréal avait fleuri. Anne était allée retrouver Christophe. Ils marchaient lentement. Il parlait et parlait. À l'école du langage de Maryshka et de Dimitri, il avait contracté un accent envoûtant.

Elle aurait voulu qu'il la prenne dans ses bras, qu'il la touche. Tous ses nerfs étaient tendus vers lui, mais en même temps ils l'avertissaient de ne pas boire de cette eau périlleuse. Tout chavirait en elle. Elle eut très peur de sa propre faiblesse. Son rêve, une ribambelle d'enfants jouant l'été sur la plage, l'automne sur des tas de feuilles mortes, l'hiver habillés de laine sur la rivière glacée. Tout revenait la troubler. Des enfants aux yeux bleus, aux yeux noirs. Mais pas d'enfants sans homme, et de l'homme elle se méfiait. Une lueur magnanime dans les yeux de Christophe l'eut sans doute fait changer d'avis s'il elle l'eût aperçue.

— Anne, dit Christophe après qu'elle lui ait cité les radotages du petit homme interné, ton imagination t'aura joué des tours. On n'écoute pas les propos d'un fou. Allons au pont des chemins de fer comme prévu. Allons chercher à Belœil.

Cette force en lui la rassurait. Ils marchèrent près du pont mystérieux et s'attardèrent sur le rivage, dont les thuyas les saluaient très bas, dégageant une fraîcheur qui les ravissait.

Anne tenta de banaliser leur conversation :

— On peut sauter du pont sans se blesser.

— On peut aussi y laisser sa mémoire, sa vie.

— Le fou de l'hôpital a des complices, Christophe. Ce sont ceux dont Frank te parlait l'autre jour, ce sont des criminels de guerre.

— Oh ! eux, je les aurai coûte que coûte. Ils rendront compte de leurs actes, il ne se peut pas que la liberté soit de leur côté. Mais où et comment les dénicherai-je ? Ils ont sans doute changé de noms, eux aussi. Quel emploi auraient-ils choisi pour survivre dans ce pays ? Gardiens de prison, peut-être ? Qu'en penses-tu ? Ou d'asile d'aliénés ? Logiquement, quel travail leur aurait mieux convenu que celui-là ? Ça leur aurait permis d'exercer leur autorité cruelle. Et qui d'autre aurait aidé le fou à s'évader de l'hôpital psychiatrique ? Car il s'est échappé, Anne, on est à sa recherche. Les journaux locaux en ont donné la description. J'irai demain observer à la prison du comté.

Anne s'attarda à Belœil pour interroger quelques natifs, cherchant un signe au hasard. Elle voulait retrouver la piste de Vladia.

Plus tard, Christophe racontera sa visite au pénitencier de la localité riveraine de la rivière au sable rouge.

— Je sonnai à la porte de la prison. Je suis Christophe, le fils de Dimitri Alexandrovitch. Le préposé pâlit subitement. Je continuai à parler, mine de rien. Je fis un léger mouvement et aussitôt l'homme braqua sur moi son revolver. Comme j'étais complètement figé, il en profita pour fuir, et avant que chacun revienne de sa surprise, il s'était volatilisé. Je m'écriai alors que cet homme avait commis des crimes pendant la guerre, qu'il fallait l'arrêter. Le plus compliqué était qu'il n'était pas le seul impliqué dans cette affaire. On ne pouvait faire confiance à tous. Plusieurs me paraissaient suspects, la tâche me semblait démesurée. Ils se cachaient bien, sous de faux nom, sous des uniformes de gardiens, en fin de compte. Quelle absurdité !

Chapitre 14

DANS LES LETTRES DE FRANK, UN PEU DE LUMIÈRE

Pendant tout ce temps, Anne se promena. Elle but un café, face à la rivière, boulevard Richelieu, dans le beau vieux village de Belœil. Elle le sirota, suivant des yeux le mouvement de l'eau. Soudain, par la fenêtre, elle remarqua de l'autre côté du boulevard, une jolie boutique ornée d'amusants volets troués de formes d'oiseaux et de lunes, aux fenêtres garnies de voilages de dentelles. À l'intérieur, des personnes circulaient gaiement. Au-dessus de la porte était affiché *Choses à vendre*, ce qui était fort intrigant.

J'irai jeter un coup d'œil, se promit-elle, j'y trouverai sans doute une idée pour le prochain bal costumé de la fête champêtre des villages des pays d'en-haut. Et en même temps, je m'informerai sur une certaine Vladia qui aurait vraisemblablement habité ici à l'automne de 1947.

Anne pénétra dans le bazar. On y vendait de vieux bijoux, toutes sortes de petits colifichets. Elle en sortit avec un sac bourré de chiffons veloutés et soyeux, aux tons d'antan. Ces trésors lui serviraient un jour.

— Une étrangère marchait souvent sur la rive dans ces années-là, lui avait dit la vendeuse, songeuse. « C'était une curieuse femme. Elle regardait, avec quels yeux, Seigneur ! au delà de la rivière et des collines. Je l'ai vue un jour s'agenouiller près de l'eau qu'elle fixait singulièrement en parlant. Allez frapper à la porte des gens âgés du village, tiens, chez la dame qui cultive des courges, tout près d'ici, sa maison est sous le pont... enfin, sous son ombre, adressez-vous au presbytère. »

Après avoir fureté ici et là, Anne rencontra un ancien qui l'invita à venir visiter son grenier. Il y avait là-haut, disait-il, des objets fort intéressants.

— Celle que vous cherchez a peut-être logé chez moi quelque temps, dans ce grenier, sous ces combles. Elle est partie soudainement pour ne plus revenir. Mais elle a laissé ceci.

Avec émotion Anne reçut des mains du vieillard un paquet de lettres ficelées, adressées à Vladia et signées Frank.

— Elle ne les a pas toutes lues, lui dit l'homme, puisqu'elle n'a plus remis les pieds dans ce grenier. J'ai surtout retenu des lettres de Frank : *Je t'en supplie, cache-toi, Vladia. On te cherche, on nous cherche noise. Mon cou me fait très mal aujourd'hui...*

Et les missives révélaient que Frank avait jadis sauté d'un pont à la suite de Dimitri, mais trop tard pour le sauver, semble-t-il. Elles dévoilaient aussi qu'il avait perdu la trace de Vladia : *Pourquoi ne réponds-tu plus à mes lettres ? Il t'est arrivé malheur, j'en ai bien peur.*

Donc, supposa Anne, Vladia aurait été prise par ces bandits, par ces assassins de la dernière guerre que nous cherchions. Ils lui auraient révélé l'endroit, entre Belœil et Saint-Hilaire, où Dimitri était censé avoir coulé, et Frank devait s'en douter. Il devait aussi se rendre compte que des lâches étaient prêts à tuer à nouveau de peur d'être dénoncés.

— *Le cou qui fait mal* ! s'exclama-t-elle soudain. *L'homme au cou penché* ? Vite, je téléphone à Christophe.

Ils iraient le revoir, ce Frank, se promirent-ils après qu'Anne lui ait dévoilé le contenu des missives adressées naguère à Vladia.

— Dans ces lignes, Frank aime Vladia, cela crève les yeux, mais je crois, il accepte qu'elle appartienne à un autre que lui. Il est censé l'inviter chez lui dans le plus grand secret, en toute amitié. Il attend le moment propice.

— Alors, ce sont les lettres de Frank... de Frank, le journaliste, me dis-tu ?

— Oui, lis ces mots : *... j'ai dénoncé par écrit les difficultés de toutes sortes sévissant en Pologne depuis l'installation au pouvoir du nouveau régime communiste : les restrictions de nourriture, les conditions de travail en usine, l'exploitation des travailleurs. J'ai démontré le découragement des pères de famille qui ne savent comment réclamer leur dû. J'ai averti les gens, je leur ai signalé qu'ils sont sans cesse espionnés par leurs dirigeants. Je possédais des renseignements précieux sur la façon dont ont été distribuées les richesses de notre pays. J'étais le principal informateur du peuple, un ennemi du régime. Je ne pourrai plus jamais rentrer en Pologne, à moins d'un revirement politique. Je m'y ferais assassiner. Viendra-t-il le jour où la Pologne sera délivrée d'une telle emprise ? Alors, reviendrons-*

nous chez nous ? Sortiront-ils de prison tous ceux qui y ont été enfermés pour n'avoir pas voulu obéir aux ordres ?

Chapitre 15

MAIS OÙ EST DONC VLADIA ?

Un vent troublant sifflait. Anne en devenait folle : Ce vent me parle, il me suggère Christophe, et le ciel qui sanglote sans arrêt m'exaspère. Choisir, il me faudra choisir ce que me dicte le vent ou bien la paix.

Anne était la fille unique d'un homme constamment pris par sa profession, mais qui l'avait aimée pourtant, à sa façon. Dévoré d'une passion pour la pêche, il lui avait transmis une partie de lui-même en l'entraînant avec lui, chaque fois qu'il l'avait pu, dans ses déplacements, tantôt sur un rocher, tantôt sur l'eau. Il l'avait initiée aux secrets de la survie en forêt tandis que sa femme, la mère d'Anne, voyageait dans les galeries d'art du monde entier pour y vendre d'admirables tableaux.

Anne n'avait jamais subi de contraintes. Elle était libre comme la biche de la forêt. Mais le rester ne lui procurerait jamais ce que tout son être réclamait désespérément, cet enfant qu'elle portait dans son cœur depuis si longtemps. Il était quelque part, un souffle très fragile ne demandant qu'à vivre, elle le savait. Allait-elle lui refuser la vie pour l'amour de la paix ?

— À demain, Christophe, et on verra.

Et demain revint et les appréhensions d'Anne se firent plus cruelles. Ils étaient allés au village retrouver Frank à qui Christophe avait demandé :

— Comment était ma mère ?

— Elle était, comment dire ? fabuleuse. Ses yeux ? comme des perles.

Christophe aimait cet homme qui aimait sa mère. Il l'invita sans hésitation aucune.

— Viens avec nous à Belœil, nous la trouverons.

Anne apprécia que Christophe fût décidé ainsi et oublia pour un instant ses réticences. Marcher sur les chemins de la vie aux côtés d'un homme qui n'a pas peur, mieux, pouvoir s'appuyer sur plus fort que soi, cela serait bon.

Tous les gestes de Christophe lui offraient amour et protection. Tant de délicatesse et de respect jetaient un baume sur son cœur qui tombait en morceaux parfois.

* * *

Le chemin qui longeait la rivière Richelieu était jonché de feuilles pourpres en cet après-midi d'octobre, mais les arbres n'étaient pas complètement dépouillés. La nature se faisait toute belle pour mieux se faire regretter. Les rayons du soleil ajoutaient des dorures à ces mauves, à ces rouges que le pont, morose, découpait. Affligé de la tristesse de ce dont il avait jadis été témoin, il paraissait menaçant.

Frank et ses jeunes amis n'avaient qu'un but en tête pour l'instant, celui de retrouver Vladia, pour ensuite procéder à l'arrestation des responsables des vies sabotées de gens dont ils ignoraient ce qu'ils étaient devenus depuis 1947. Mais en vain cherchèrent-ils une autre trace.

L'automne, avec ses odeurs de feuilles mortes, les invita à s'attarder pour épier les citrouilles montant la garde aux portes des maisons ou aux pieds d'épouvantails aux chemises colorées, mais à l'aspect rieur. Tout s'était donné le mot pour leur faire regretter le jour, s'éteignant très tôt, là, derrière un vieux manoir de style Tudor, autrefois témoin des grands tourments opposant deux peuples occupant le même territoire. Le cépage rougissant se confondait avec la brique cramoisie que tranchaient de longues et sévères embrasures de fenêtres.

Bientôt, le soleil ne sera plus là pour réchauffer leur cœur. La face rogue de la montagne s'évanouira. Sur les deux côtés de la rivière, les vieilles maisons s'éclaireront, puis s'endormiront.

Comment longer le Richelieu sans évoquer tout un passé ? Une autre guerre avait sévi en ces lieux, bien avant celle de Dimitri.

L'amour et la haine habitaient Christophe, en cette saison fugitive, cet été des Indiens. Sans les soucis qui l'accablaient, il aurait aimé flâner. Aujourd'hui, le temps doux le troublait et Anne l'émouvait. « Mais avant d'aimer, il faut en finir avec ce danger qui nous menace tous. On m'a volé ma jeunesse, on me rendra ma confiance en la vie. » Il frémit devant l'immensité de la tâche à accomplir.

Chapitre 16

FORÊT MENAÇANTE

Et la neige revint. Les jours coulaient, s'égrenaient sans accrocs. Anne avait choisi de rester au lac, cette année-là, ayant momentanément délaissé ses études. Vers la fin de l'hiver, un matin, elle sortit de la maison pour tailler du bois pour allumer son feu. Des coyotes hurlaient pas très loin, fait inaccoutumé en ces lieux, et elle eut peur. Elle s'avoua qu'elle aimerait bien que Christophe fût là. Elle avait toujours été brave, mais maintenant, elle portait le bébé qu'elle avait tant désiré et tous ses gestes voulaient protéger cet être qu'elle aimait déjà. Elle lui parlait, l'imaginait endormi au tout début de son existence. Il s'éveillera peu à peu pour raisonner et aimer, et des yeux noirs s'allumeront pour contempler la vie. Elle espérait tant qu'il soit heureux. Avait-elle le droit de le priver d'un père ? Sa peur incontrôlée de devoir être dominée l'avait empêchée d'avouer son état à Christophe, pourtant si tendre, si patient et si intelligent.

Quelques mois auparavant – était-ce à cause de la douceur du temps ? – elle et lui s'étaient aimés comme des assoiffés sous les étoiles. Ils s'étaient laissés emporter par le chant des flots venus mourir sur la rive d'une rivière du passé.

Anne entra et attisa le feu. Elle avait froid. Des oiseaux jacassaient et le huard était revenu, cherchant sur le lac un coin non gelé pour s'y poser. On entendit son rire dément. Le vent faisait des siennes, ce matin-là, il mugissait jusqu'à effrayer la meute des loups. Il sentait la neige.

L'émergence d'un bruit nouveau dans tout ce vacarme l'inquiéta vivement. Il y avait lieu de croire que quelque chose se préparait, elle le sentait. Un grincement plus fort le lui confirma, elle sut instinctivement qui était là, qui la guettait. Sans aucun doute, le détraqué de l'hôpital. Il s'était évadé, elle le savait.

Alors il est revenu !, se dit-elle.

Anne fit celle qui n'avait rien entendu et, plutôt que d'alerter les policiers, elle décida d'affronter seule le danger. Il était temps d'en finir avec cette menace si pesante. Comment observer cet homme sans être reconnue ? Mais elle redoutait qu'ils fussent plusieurs.

L'idée lui vint de revêtir les déguisements de la boutique *Choses à vendre*, qu'elle s'était procurés à Belœil. Sa taille arrondie le lui permettait maintenant, elle pourrait facilement passer pour une chasseresse, ou pour une bonne dame ramassant des fagots pour alimenter ses feux de bois. Il y en avait encore en ces lieux de ces femmes vivant de rien dans de petites cabanes posées dans de grands jardins. Elles étaient riches, d'une certaine façon, de ce que la nature leur offrait.

Anne fit ce qu'elle avait projeté, une fois, deux fois, tout bonnement, passant inaperçue. Pour déjouer l'ennemi, elle posa des pièges, donnant ainsi l'illusion de chasser de petites bêtes, autre bonne raison pour expliquer sa présence dans les bois. Elle l'avait fait d'ailleurs tout l'hiver. Elle avait chaussé skis et raquettes pour marcher sur la neige folle à la poursuite de petits lièvres. Elle avait aimé cette saison. Ni Montréal ni la maison de ses parents, d'ailleurs toujours vide, ne lui manquaient. L'espoir habitant en elle l'avait aidée à vivre la grande solitude de la forêt et, bientôt, le lac libéré de ses glaces brillerait à nouveau.

La troisième fois qu'elle pénétra dans la forêt fut la bonne. Ce que vit Anne l'étonna fort. Au pied d'un mur de pierre, presque invisible l'été et qui n'avait pas sa raison d'être en ce lieu, était agenouillé le fou de l'asile, aux yeux démoniaques, comptant sur ses doigts. Sur le mur étaient gravés des noms : Frank, Christophe, Dimitri et, au pied du mur, étaient creusées des fosses. Bien fureteur, ce petit homme, toujours en train de fouiller dans la terre. Elle regretta d'être venue.

Derrière l'homme se tenait une femme aux grands yeux tristes, à la mine maladive. Ses cheveux tombaient librement jusqu'à ses cuisses. Son pas, aussi agile que celui du lièvre, rappelait quelque danse fugitive. Elle avait dû un jour être gracieuse. Elle regardait Anne sans la voir, celle-ci était, il faut le dire, de la couleur des arbres.

Un coin de forêt s'alluma soudain sous un rayon de soleil jaune. Les oiseaux en jubilaient. La dame n'entendait rien, semblait-t-il, ses yeux dans le vague n'avaient aucune expression. On aurait dit une statue. Elle semblait plongée dans une détresse si profonde que rien ne l'impressionnait.

Il va la tuer !, devina Anne. Sous le choc, elle fut saisie d'une crampe qui la contraignit à revenir sur ses pas de peur de perdre son bébé. Elle n'eut d'autre choix que de courir jusqu'à l'orée du bois.

La petite fille et son cheval passèrent. Bon, voilà encore cet homme, se dit la petite. Elle trouva ses agissements bizarres. Il joue dans la terre. Si elle n'avait été montée sur son ami cheval, elle n'eût pu contrôler la peur qui la submergeait.

Elle ne savait pas si l'homme était méchant. Son allure de fou, sa claudication lui faisaient pitié. Elle et son compagnon se sauvèrent comme Anne, vers la lisière de la forêt.

Délaissant sa monture qu'elle avait attachée par la bride à la rampe d'un escalier du presbytère, elle alla, pour attirer l'attention du curé, jouer de l'orgue dans son église. Elle le faisait chaque jour. Elle venait ainsi à la rencontre des grands musiciens du passé. Et, comme prévu, au son de la musique, le curé sortit de son logement.

— Tiens, ma pauvre petite fille !

La sachant si seule, le curé lui avait un jour prêté une clef lui ouvrant les portes du bonheur, celui de pouvoir jouer de cet instrument à tuyaux si fascinant.

Il aimait bien l'entendre reproduire le chant des merles, la plainte du vent, et parfois, le hurlement d'un train tranchant le silence des montagnes dans sa course vers Mont-Laurier.

— Bonjour, monsieur le curé, le saluait-elle chaque jour. Comment vont vos fleurs aujourd'hui ? Et vos cèdres ?

— Oh ! pas très bien, lui répondait-il. Ces faons me les ont bouffés.

Mais aujourd'hui, il ajouta :

— Allez donc savoir ce que veut ce monsieur qui creuse des trous au fond des bois ?

Perplexe, le curé alla, comme la petite fille, épier cet hurluberlu qu'il avait cru jusqu'à ce jour inoffensif et non vil et sournois comme ses traits ingrats le suggéraient.

Les policiers furent encore alertés. Une vaste opération fut mise en branle. L'homme fut à nouveau interné, mais aucune trace de la dame qui l'accompagnait. Qui était-elle ? Avait-elle été là de son plein gré ? Agissait-elle selon ses convictions profondes ?

— Je n'en reviens pas, dit Frank, accouru sur les lieux, il avait même prévu la place de Dimitri ! Notre homme aurait voulu l'ajouter comme un bibelot à sa collection de dépouilles. Quel sinistre individu !

— Il faut retrouver la dame aux cheveux longs. Elle est sans doute complice du petit homme, rétorqua l'un des policiers.

— Une complice complètement droguée ? répliqua son compagnon.

— Je vous jure qu'on l'a forcée ; elle n'est pas responsable de ses actes.

Toutes ces rumeurs, assez inquiétantes pour effrayer la plus audacieuse des bêtes sauvages, figèrent d'épouvante la forêt. Rien n'y bougeait plus, elle avait cessé ses mouvements.

Puis insensiblement, l'obscurité s'insinua sous les arbres.

Chapitre 17

DE LA FICTION... DES VÉRITÉS...

Marie éprouva le besoin de s'étirer, de prendre une bouffée d'air.

Quelle histoire ! Est-ce qu'elle se raconte ? Comment sortir de ce fouillis ? Que deviendra Anne, mon héroïne ? Elle n'a rien de moi, elle ne me ressemble pas du tout. Si je lui inventais une rivale, serait-elle fragile comme je le suis ? Car j'en ai une rivale, mais j'ignore laquelle. J'aime François, mais il ne soucie pas de moi.

On frappa à la porte.

— Tiens, mon voisin aux yeux noirs.

— Bonjour, Marie. Que fais-tu ici, toute seule, à quoi occupes-tu ton temps ?

— Oh ! j'écris des histoires. Je suis fatiguée. Cela m'est difficile. Pour peu, j'enverrais ces écrits peu éloquents brûler à petit feu, mot à mot sur la braise du poêle. Mais il m'en soufflerait d'autres. Mes personnages me hantent, m'obsèdent. Je devrais me secouer. Allons marcher.

— Dis-moi, ces pistes dans la terre, de qui sont-elles ?

— Deux hommes se promenaient ici ce matin. Un vieux, un jeune...

— Suivons les pistes, Marie. Elles m'intriguent. Les pas vont devant, reviennent derrière, s'effacent, se bousculent. Ici, un homme est tombé, je le jurerais. Et puis, regarde encore... Il n'y a plus qu'un pas qui court, seul.

— Ah non ! Il ne faut plus que ces fantômes reviennent me hanter. Laisse-moi souffler un peu. Marchons. Ne nous compliquons pas la vie.

— Et puis, c'est décourageant de constater que les gens ne sont pas dans la réalité tels que je le croyais.

Marie aurait bien aimé que les rôles fussent inversés, que François ait besoin d'elle désespérément, comme Christophe avait besoin d'Anne. Mais ce n'était pas le cas.

Deux heures s'étaient écoulées et ils marchaient toujours.

— Il y a eu un enlèvement, Marie.

— Que dis-tu ? Quel enlèvement ? Tu confonds réalité et images.

— Alors, pourquoi ces empreintes de pas d'un homme seul qui continue à marcher ?

— Ce n'était sans doute qu'un jeu.

— J'y pense depuis deux heures, il y a eu bousculade, je te dis. Et la piste tourne ici. Et voici deux hommes.

— Ce sont les mêmes que ce matin. Le vieux, le jeune. D'ailleurs ils se suivent à la cadence des promeneurs du dimanche. Dis donc, si nous allions tout bonnement interroger tous ces gens d'ici, peut-être en seraient-ils démythifiés ? Vois, le champ de pommes de terre tout près de la rivière, et cette dame dans les fleurs. Une Polonaise à coup sûr. Laisse Satan dans son village, ce diable de petit homme.

* * *

La Polonaise se penchait sur de beaux œillets rouges qui, au milieu d'aconits aux tons très doux, posaient. Dans un crescendo de couleurs pastel, des gueules de loups entrecoupées de touffes blanches faisaient des cercles au pied des rosiers. Des lis courbaient l'échine, humiliés par le jet d'eau qui les chiffonnait. S'éveillaient des pavots rouges. Toutes ces merveilles se révélaient très vivaces. Il convient de noter qu'elles avaient été plantées là depuis fort longtemps, à en voir la taille. Un oiseau-mouche y répétait les danses de la séduction. Le mouvement des ombres et des lumières sous les bouleaux auraient fait la joie d'un peintre.

La dame polonaise et son mari, tous deux amicaux, s'avancèrent vers François et Marie. Ces gens simples et sans mystère leur racontèrent le pays tout bonnement.

— Comme ils étaient calmes ! dira plus tard Marie à François, comme s'ils avaient oublié leur passé tragique.

— Comment ? Qu'ont-ils vécu ?

— Mais la guerre, ils ont dû s'enfuir de leur pays.

— Mais non, tu n'y es pas du tout ! Ces gens sont les descendants des ouvriers venus travailler ici à la construction du chemin de fer, il y a très longtemps.

— Mais !...

— Tu verras, si tu consultes les livres d'histoire des bibliothèques municipales de la Rouge.

— Pourtant, pourtant... Maria m'a raconté.

— Qui est Maria ?

— Maria ? Quelques années après la guerre, mon grand-père était allé l'accueillir au bateau, dans le vieux port de Montréal, pour l'emmener chez nous.

Elle était venue pour travailler, pour faire la cuisine et le ménage. C'est elle qui m'a inspiré le personnage de Maryshka. Elle venait de fuir son pays, la Pologne avec quelques-uns de ses compatriotes. Elle est très, très vieille. Elle habite encore Montréal dans la maison de mon père dont nous avons hérité, mes frères et moi. Elle s'y repose. « Ce sont des rats, des pervers ! crie-t-elle encore parfois. » Elle ne s'est jamais remise des épouvantables machinations de ces bêtes, comme elle les décrit, demandant à être respectée, là-bas, dans son pays.

— Ça, c'est une autre histoire. Tout n'est pas si blanc, tout n'est pas si noir. Pour Maria, les communistes sont les gros méchants, le communisme, un sale régime. Ce n'est pas ça, la vie. Ce qui était mauvais pour les riches dans son pays, l'était-il pour les pauvres ? Des miséreux ont cessé de crever de faim. Que fait-elle de ses pauvres compatriotes qui n'avaient pas d'argent ? Dans chaque doctrine, il y a du noble et du mesquin, tu sais. Un pan de l'histoire est laissé de côté ici. Tu as un parti-pris pour les gros capitalistes. Ce régime communiste a peut-être profité à d'autres personnes.

— Toi, tu as pensé que les immigrants d'ici avaient vécu les mêmes aventures que Maria. Ce n'est pas ça du tout. Tu sais, les Polonais de la ville et ceux d'ici se rencontrent et se côtoient. Ils se connaissent. Puisqu'ils ont des ancêtres communs, il est normal qu'ils aient cherché jadis à se rapprocher pour ensemble parler de la Pologne. Marie, pourquoi parler de la guerre, ce n'est pas un peu dépassé ?

— Dépassée, la guerre ? Mais, François, on y a commis le plus grand crime du XXe siècle ! Des innocents en subissent encore les conséquences aujourd'hui dans le monde entier. Les blessures ne se sont pas cicatrisées !

— Il y en a eu d'autres et il y aura d'autres conflits entre les hommes. D'autres revanches pour les humiliés qui s'armeront pour détruire le plus fort qu'ils ne supportent pas et qu'ils terroriseront. D'autres obsédés, d'autres Hitler, d'autres abominations. La misère incite l'être humain à haïr pour mieux frapper qui l'a soumis. De jeunes soldats devront commettre des actes horribles dont ils garderont les séquelles à jamais.

— Oui, François, mais cette guerre de 1939, et tout ce qui l'a suivie, il ne faut surtout pas l'oublier.

— Regarde, le voilà notre petit homme. Il habite au delà du village, en bordure de la rivière. Il est très coloré, ne trouves-tu pas ? Comme dans les contes.

— C'est le chef de la police du comté !

Quelle ironie, pensa Marie. Voilà que le chef de la bande recherché par la police était devenu le chef de la police... le poursuivi devenu le poursuivant. Comme c'était compliqué !

L'homme les dévisageait, d'un air nonchalant et pas pressé, un mégot aux lèvres. Marie et François reprirent la route. Ils s'aimaient, mais ne se le disaient pas. Ils allèrent ensemble contempler le spectacle de la nature ce matin-là, un peu plus riches de leurs connaissances nouvelles qui leur rendraient moins lourde la solitude de la forêt.

Chapitre 18

PROFIL D'UN ÉVADÉ

Ce conte m'a eue, s'avoua Marie, songeant aux remarques que François lui avait tout à l'heure infligées. Impossible pour moi de ne pas le poursuivre.

Elle ouvrit son poste de radio, et la nouvelle l'atteignit en plein cœur. Abasourdie, découragée, elle se tint immobile sur le divan jusqu'à ce qu'enfin retentisse la sonnerie du téléphone.

— C'est moi, François. Je te l'avais bien dit qu'il y avait eu bousculade !

— Oh ! je t'en prie, François. Mais oui, je te crois maintenant, viens me rejoindre, je ne me sens pas bien, j'ai peur.

Marie crut le moment venu de se secouer, de bouger un peu.

Sur la surface de l'eau, balayés par la bourrasque, des branchages dérivent vers le rivage. L'ombre d'un bouquet de mélèzes échouait sous le grand saule.

Ce vent débile me rendrait folle, j'allais crier. Ne se calmera-t-il jamais ? Comme j'aimerais posséder la bravoure d'Anne, ma douce héroïne du bord du lac. Douce par ce que sans rivale, pour l'instant du moins.

Un prisonnier s'était évadé le matin même de la prison du comté, là où coule la rivière Rouge, et il courait toujours. Telle était la nouvelle qui avait fait sursauter François et Marie. Et le matin de ce même jour, François avait constaté des choses peu normales. Il en avait parlé à Marie qui voulait la paix, tout cela la dérangeait grandement.

Ils retournèrent sur les lieux de leurs observations et cherchèrent d'autres signes, d'autres pistes. En vain. Ils se rendirent à la prison demander de plus amples renseignements sur l'évadé.

— Ce qu'il a fait ? Oh ! commerce de drogue, rien d'original.

La frousse tenaillait Marie. Elle n'était pas brave. Retourner chez elle sachant qu'un jeune homme courait les bois, traqué par des policiers et, sûrement par des trafiquants de drogue qui voulaient lui sauter dessus pour l'empêcher de les trahir. Et elle se connaissait, elle l'aiderait. Marie était née, elle le savait, pour aider les autres. Mais elle ne pouvait être médecin, ce à quoi elle avait parfois songé, puisqu'il lui fallait payer les études de ses frères. En cette autre époque, il était tout à fait normal de privilégier les études des garçons. Toutefois, elle occupait un poste aux urgences d'un hôpital de Montréal.

Envahie par la pitié autant que par la crainte, elle n'eut pas sommeil ce soir-là. Elle veilla donc, poursuivant son récit, admettant que la mésaventure du jeune évadé de prison lui avait dicté les pages suivantes.

* * *

Quand il vint, ce à quoi elle ne s'attendait guère, elle le fit entrer et, tremblant de tout son être, elle lui offrit gîte et couvert. Elle le garda, le soigna, le cacha et le questionna.

— Je me suis sauvé de la prison.

— Je ne vais pas te livrer. Oh ! mais je te reconnais, tu es Roman ! Comme tu as maigri ! Raconte-moi, pourquoi la prison ? Qui t'a interné ?

— Ceux qu'on aurait dû coffrer à ma place. C'est une histoire compliquée.

— Je vois, et on t'a repéré dès ta sortie. On t'a bousculé.

— Exact, mais j'étais plus fort qu'eux. Peux-tu m'aider ?

— Je ne demande que ça. Mais raconte.

— D'abord, il y a eu la rue, dans la ville. La rue sans érable, dirais-je, deux grosses corneilles m'ont annoncé ce jour-là la mort de l'unique érable. Elles graillaient, debout sur des branches tordues d'effroi, qu'il n'y aurait pas de printemps dans cet arbre, cette année.

— Je croyais que tu avais pris l'avion pour la Pologne.

— Ç'a été impossible, toujours pour la même raison. Tu la connais. Des hommes veulent nous empêcher de dénoncer leurs crimes de guerre.

— Je vois, ces escrocs n'étaient pas loin. Tu n'as pas osé monter.

— Plus personne ne semble vivre dans la maison du 89, m'ont dit des passants, sauf cette Maryshka, qui a l'air de plus en plus vieille, plus courbée, plus lente chaque fois qu'on aperçoit son ombre. Mais, leur semblait-il, il y avait longtemps qu'ils l'avaient vue, et la berceuse n'avait pas bercé depuis belle lurette. Je m'approchai de la fenêtre. J'ai tout d'abord vu des objets flous : la cheminée, les chambranles des portes en bois finement sculpté, le plancher de chêne reluisant et puis la grande berceuse. Vide. Plus de Maryshka ni de Dimitri.

— Dimitri est encore à l'hôpital. Et Maryshka doit être à son chevet.

Et Roman poursuivit :

— Je réfléchis, interdit, et décidai de venir prévenir Christophe du supposé départ de Maryshka. Je savais qu'il habitait ici. M'avait-on épié alors que je m'attardais devant la fenêtre ? M'avait-on suivi ? Alors, je fus pris peu de temps après dans une suite de mésaventures qui me conduisirent tout droit à la prison de votre comté. On m'y a interné pour commerce de drogue, moi, Roman Alexandrovitch. Nos ennemis doivent en avoir gros sur la conscience.

Décidément, pensait Anne, ces bandits sont partout. Ils habitent tout l'espace. Il existe un très grand réseau plein de ces crapules, de ces criminels de la dernière guerre et Christophe et Roman voudraient bien les savoir sous les verrous.

— Beaucoup d'eau a coulé sous le pont de Dimitri... et mon ventre est lourd. Est-ce que je pourrai aider Roman ?

* * *

Christophe aurait bien voulu savoir ce qui se passait chez Anne. Il attendait, rongeant son frein. Il avait des yeux pour voir, il se savait père, observait, protégeait de loin, aimait déjà ce bébé. Mais il savait aussi qu'Anne ne vivait plus comme avant. Quelque chose lui échappait et l'inquiétait. Un jour, comme il allait frapper à sa porte, il aperçut une silhouette se dirigeant vers une chambre.

— Eh bien ! Anne, dis-moi maintenant ce qui se passe. Je connais ta nature défiant les dangers, mais maintenant... Et cette ombre... j'ai bien vu une ombre passer ? Comment se nomme-t-elle ?

À ces mots, Anne fit venir Roman que Christophe, étonné, reconnut tout de suite. Son frère, si semblable à lui.

— Jusqu'à maintenant, j'ai toujours cru que l'homme avait été abandonné sur terre. J'ai changé d'avis. Je suis heureux. Tu es de la même souche que moi.

La pluie rageuse, pendant ce temps, résonnait sur le toit de métal du cottage et le vent s'acharnait sur les pins ivres qui l'encadraient.

— Ils t'ont sauté dessus ? présuma Christophe.

— Mais non. Simplement, ces fourbes m'ont approché quand je suis allé chez toi à Montréal et m'ont forcé à les suivre jusque près d'ici, à la prison. Ils en paraissaient les maîtres. J'ai constaté qu'ils avaient de fortes influences sur les responsables de la prison. J'ai dû entrer sans répliquer. On me traita comme une bête, à coup d'injures. Non seulement, ils me menaçaient des yeux, mais ils le faisaient aussi avec une arme à feu.

— De quoi ont-ils l'air ?

— Ils sont comme moi, comme toi, comme tous ceux qui déambulent dans les rues. Il y avait aussi une femme portant fichu.

Il la décrivit. Anne en fut très étonnée. C'était la dame droguée de la forêt. Elle entreprit de mettre Roman au courant des faits dont ils avaient été témoins dans les bois, et de le renseigner sur le peu qu'ils avaient appris concernant Vladia.

— Les murs ne sont pas très épais à la prison, Anne. J'ai bonne mémoire et me souviens maintenant d'avoir surpris une conversation entre deux hommes, d'anciens fervents d'Adolphe Hitler. Je connais bien leur vocabulaire pour l'avoir étudié en Pologne, pays voisin de l'Allemagne. Ce que nous savons n'est rien à côté de ce que nous ignorons. Un des hommes, un gardien, donnait l'ordre d'éliminer celui-ci, celui-là, tout être susceptible de lui mettre des bâtons dans les roues.

— Et la dame au fichu ?

— Elle ne disait rien. Il y aurait, dans la doublure du costume d'un Polonais enterré au printemps, une fortune. Ces bandits ont reconnu sur le défunt la veste marquée d'un insigne de chirurgien provenant d'un hôpital de Lublin. Dans ses parements avait été caché tout l'argent emporté par un dénommé Dimitri, sans doute notre père, lors d'un voyage vers Montréal il y a vingt ans. Dimitri et son ami, un musicien, auraient, en plus, réussi à rassembler avant leur départ de Pologne toutes sortes de papiers, et des bons, et des titres de propriété. Le gardien dont je vous parle aurait entendu les deux amis se concerter avant de partir. Ces derniers ignoraient sans doute que leur secret avait été surpris.

Anne sortit prendre une bouffée d'air. Elle ne savait pas si elle allait rire ou pleurer. Christophe et Roman demeurèrent en tête-à-tête.

— Qu'est-il advenu du musicien ?

— Ça, il faudra voir.

— Et qui sont ces intrigants dont tu as surpris la conversation ?

— Je ne sais pas. Peut-être un compagnon de voyage de Dimitri. Ce Josef qui est mort aurait pris dans le train l'habit pour se réchauffer, sans connaître le contenu de la doublure. La veste était de lin grossier. Il l'aurait conservé toutes ces années. Apparemment, ceux que j'entendais parler en avaient passé du temps à chercher ce vêtement ! Beaucoup de temps. Et maintenant, ils veulent aller chercher l'argent sous la terre.

— Il y a beaucoup d'argent sous terre. C'était donc ça. Je t'explique, Roman. Le dément de l'asile a affirmé cela à Anne l'autre jour.

— Mon frère, j'aurai besoin de ton aide, poursuivit Christophe Tu n'as pas froid aux yeux, et tu sais lire entre les lignes, je le constate.

— N'en parle pas à Anne, elle doit protéger une vie. Ces hommes dont tu as capté les paroles, je les veux tous à la barre des accusés. Ou plutôt, non. Faisons notre propre enquête et livrons-les à la police. J'aimerais bien les dénoncer au monde entier, les humilier à leur tour. Je souhaite les voir souffrir, Roman.

— De quoi les accusera-t-on au juste ?

— De crimes de guerre.

— Alors, cherchons des preuves.

Chapitre 19

UNE ENQUÊTE SE PRÉPARE

— J'étais assoiffée, raconte Anne aux frères Alexandrovitch, à la fin d'une éprouvante journée. Depuis une demi-heure je marchais à la suite d'une femme, intrigante au plus haut point. Je l'avais repérée au deuxième village et j'avais décidé de la suivre, puisque je l'avais reconnue sous son fichu. C'était bien elle, la compagne de Rudolph Schwartz que j'avais vue dans les bois. Que faisait-elle, marchant au milieu de ces arbres immenses ? À combien d'heures de chez nous étions-nous ? La façon dont la dame était fagotée me rappelait un conte de vieilles sorcières mangeuses d'enfants, quoique son pas fût très léger. Nous enjambions des buissons ébouriffés, entremêlés de ronces. Nous longions le bord d'un abîme et je craignais d'y tomber. Je ne détestais pas la dame, car il n'y avait point en elle cette sécheresse du cœur si flagrante chez son maître. Intuitivement, je la savais victime. Pour moi, elle ne représentait aucun danger. Donc, je n'y comprenais plus rien. Nous avions gravi des pentes et j'étais essoufflée. Je craignais pour le petit que je portais. La dame devinait ma présence derrière elle. Nous avions fait mille et un détours pour revenir, enfin, pas très loin du chemin où je l'avais d'abord aperçue. Elle avait déjoué ainsi qui la surveillait. Toujours les mêmes, ces chefs de prison, ces complices de Rudolph Schwartz. Ces scélérats, ils guettaient sans cesse. La certitude que leurs gestes horribles d'autrefois seront dévoilés s'ils n'agissent pas, les incite à vouloir éliminer toute forme de menace. La femme que je suivais s'arrêta pour me parler. Elle avait tout simplement décidé de m'aider, me dit-elle. « Si tu promets de me défendre le moment venu. Des hommes se servent de moi pour parvenir à leurs fins. Je ne sais plus comment échapper à leur emprise. Ils oseront tout pour empêcher vos amis de dénoncer leurs crimes d'autrefois. Ne nous montrons pas ensemble. Cette fois je les ai dépistés. Gardons l'œil ouvert. »

— Ce sont d'anciens bourreaux de guerre ? lui demandais-je.

— C'est exact. Toute une génération a tant souffert, et on voudrait maintenant faire payer la tienne ? Ta génération ? Non, c'est fini. La guerre est finie.

— Elle me donna des noms, des indications, des adresses et me décrivit le chef de la bande.

— C'était bien lui, nul autre que ce drôle de petit homme, ce futé tyran, tant redouté dans la vallée, ce pillard.

— Que faisiez-vous avec eux ? osai-je lui demander.

— J'étais danseuse dans mon pays. Une proie facile, à leur portée. Ils ont abusé de moi. Ils se sont servis de moi.

— Votre pays est la Pologne ? Vous êtes ici depuis 1947 ?

— En effet, et sous les ordres de Rudolph Schwartz !

* * *

La dame au fichu ne doit pas faire partie des suspects, ne la livre pas à la police, Christophe, elle est innocente. Ce n'est pas un crime que de fléchir sous la menace. Dans toute cette macabre histoire, elle a été un pion. On lui a lavé le cerveau. Et la folie qu'engendre la solitude l'a quelque peu atteinte. Depuis, elle s'en est rendu compte et elle a juré de réparer.

Sur les papiers de la dame, ils lurent des noms, une histoire pour chaque nom. À Christophe qui lui demandait des précisions, elle répondit :

— Plusieurs d'entre eux sont en vie, et d'autres sont morts. Il nous faut chercher qui est vivant et qui est mort.

Christophe et Roman se consultèrent, leur plan devant être bien défini.

— D'abord, surveillons le cimetière. Quelqu'un viendra sans doute, la nuit.

Ce qu'ils firent. Et deux hommes vinrent en effet creuser la terre. En vain. Non, rien dans la doublure du costume du défunt, pas de gros billets, pas de bijoux, pas de papiers.

La petite fille, chevauchant sa bête de race, n'était pas loin d'eux. Elle fut désappointée de ces adultes si peu sensés. Sous la pluie, elle incita son cheval à galoper jusqu'à la grande baie illuminée du salon de sa mère qui, ce soir-là, servait le thé à ses invitées, d'amicales relations.

Surprenant leurs propos, elle renonça à raconter ce dont elle avait été témoin. Elle le ferait le lendemain à l'orgue de l'église. Pour l'instant, réfugiée sous un arbre, elle observait ces dames pour qui tous les braves gens étaient des simples d'esprit. Elle écoutait le chapelet de leurs préjugés. Elle pesait les paroles de ces snobinardes aux bagues serties de pierres précieuses.

L'été, on le constatait, était cette année-là très humide et décidément très orageux. La jeune fille mit son cheval à l'abri et, tel un lièvre, prit les jambes à son cou jusqu'à sa chambre tandis que le ciel grondait. En colère, la forêt sous sa fenêtre s'indignait dans une sarabande dramatique. Le vent du Nord couchait les herbes. Les lucioles ne s'allumaient plus.

La petite fille se couchera et sa mère ne saura rien de son expédition.

* * *

On poursuivit des hommes. On voulait savoir les noms de leurs complices, on voulait comprendre leur acharnement à éliminer leurs semblables en temps de paix. La dame au fichu avait réuni des preuves faisant frémir les plus insensibles des policiers. Ils constatèrent que le comportement des accusés avait contribué à la mise en œuvre de cette incroyable hécatombe que fut la guerre 1939-1945.

Des témoins vinrent, soit en pleurant, soit en tremblant, tous dans un état voisin de la panique, chacun éprouvant rancune et amertume, chacun exigeant vengeance et réparation. On en chercherait d'autres en Pologne avec l'aide de Roman. On attendrait d'autres témoignages aussi longtemps qu'il le faudrait. Puis, l'enquête s'arrêta, faute de faits nouveaux. On ne retrouva pas Vladia.

Chapitre 20

CHEMINS BRISÉS

— Viens voir, Marie, laisse là tes histoires, implora François, en ébranlant la porte de la jeune fille.

Le castor du barrage nageait dans le ruisseau.

— Il me contrarie, s'impatienta Marie. L'important, maintenant, c'est de raconter comment Anne de mon roman révèle sa grossesse à Christophe et comment celui-ci lui répond qu'il veut cet enfant. De plus, il me faut révéler l'endroit où se cache Vladia. Et puis, François ne veut pas de moi, pourquoi irais-je ?

Sur le lac, des enfants entonnaient ces chansons fredonnées naguère par les femmes des marins bretons, en espérant que leurs hommes échappent à la mer.

— Des anges chantent, Marie, ne te reposes-tu jamais ?

Ainsi, elle mit tout de côté pour emboîter le pas à François. L'eau était si claire sous le grand bouleau au bord du ruisseau, ils auraient pu plonger au ciel. Aux côtés de François, dans un miroir mouvant, agité par un imperceptible frémissement de l'eau, apparurent les cheveux blonds et les yeux mauves de Marie, océans d'eaux troubles.

Ils formaient ensemble un étrange duo, une jeune fille à l'air accablé et accoutrée comme elle l'était, donc pas très colorée, et un adonis auréolé de soleil par surcroît. François, le beau François, avide de Marie, la dévorait des yeux en racontant des fadaises. Il bavardait sans vergogne, allait d'une histoire à l'autre, mettait des guillemets, revenait à ses premiers propos... croyait Marie convaincue de sa balourdise. Il disait tout sauf ce qu'elle voulait entendre. Sur une branche, un oiseau au bec busqué, fixait sur eux un regard exaspéré. On le dérangeait. Ne se sachant plus maître de céans, il comprimait sa colère. Un autre, chagriné, complotait avec ses compères.

Le cri des huards transperçait tout l'espace.

François chérissait Marie. Mais elle était cinglante, aujourd'hui, elle raillait, critiquait, chapitrait. Alors, il ne se gêna pas :

— Dis donc, Marie, les fortunés bourgeois de ton récit, n'y en aura-t-il que pour eux ? Ils ne pensent qu'à leurs soucis. Ne les dessine pas trop riches !

Le discours de François l'énervait. Elle l'invita à se taire et lui, consterné, marqua sa déconvenue en déviant du chemin pour suivre une bête désespérée courant vers sa tanière.

C'était par l'une de ces journées pas comme les autres où tout était si intensément beau, si merveilleusement odorant. L'eau abondante de cet été pluvieux avait produit une gamme de verts magnifiques. On se sentait enveloppé dans un paysage douillet dans lequel terre et eau s'unissaient pour former un tout, un paradis. Une journée où l'on croyait que peut-être il y a un bon Dieu.

Marie et François prirent comme un élixir de grandes bouffées d'air pour masquer leur émoi. Mais, fait incroyable, imperceptible tout d'abord, une nervosité s'était installée dans l'air. Des nuages s'étaient formés soudainement. Encore. Cet élément nouveau devenait une autre embûche au déroulement normal d'une conversation. Dans un même élan, ils accoururent au lac, inquiets. Avec les forces souveraines qui tentaient de s'emparer des lieux, les chants tristes s'étaient tus. Tous les avirons des barques ramaient vers les plages. Que se passait-il donc ? Un sourd grondement s'égara dans la chaîne des montagnes encerclant le lac pour envahir le silence, remplir les oreilles. L'eau écumante déborda sur les rives. Une bourrasque écima des arbres, alarmant tout ce qui vivait. Et les ruisseaux s'enflèrent.

Tous allèrent s'abriter. « Vite, au téléphone ! » clamèrent-ils, mais les lignes étaient coupées. Plus de chemin pour aller au village.

Aujourd'hui, les yeux défaits de Marie avaient dévoilé à François sa tentation de quitter la terre par ce cratère qui venait de s'ouvrir droit devant, au milieu des mugissements du vent. Elle le savait depuis peu, François n'était plus libre. Son espoir à elle l'avait quittée à la fourche des deux chemins où il lui avait annoncé qu'il avait entendu l'appel de Dieu, un soir d'été au bout du quai, sous un arc-en-ciel, soit faire vœu de pauvreté, de chasteté et d'obéissance, offrir sa vie pour l'amour de cette paix soudaine qui s'était faite en son âme.

Marie, d'ordinaire si tenace, ne pouvait combattre ce qui n'existait pas, selon elle. Sa rivale, la religion de François, n'en était que plus dangereuse.

Comment défier un être qui n'était pas là ? Qui n'existait que dans les cœurs ? Les idéaux de François – il s'était découvert une vocation en cette année 1965 –, s'opposaient farouchement au caractère de Marie, aux tendances un brin existentialistes.

Que ne suis-je Anne, indispensable comme elle ?

La nuit venue, assise face au lac, Marie vida son verre, s'interrogeant : Où dorment les oiseaux ? Et les enfants qui ont faim ? Et que fait en ce moment cette dame de Montréal, vivant sous une épinette qu'on avait filmée la veille ? Quelle misère ! Dort-elle ? Comment en est-elle arrivée là ? Vient-elle de Pologne ? S'est-elle enfuie ? A-t-elle connu la guerre ? Pourquoi ne part-elle pas ? Il y a des trains pour partir, des bateaux, des ponts.

Les enfants qui chantaient avant que la nature fasse des siennes reviennent complètement détrempés, les pauvres. Marie les rassura, les réchauffa, les soigna. Elle les aimait, eux, et tous les enfants de la terre. Et elle aimait ceux qui avaient conservé leur regard d'enfant.

François n'était pas disposé, lui qui avait donné son âme, à devenir l'amant de Marie, et elle n'en voulait pas d'autre que lui. En attendant, elle braverait les vents, sa hantise, en écrivant. Ses frères ? Trop occupés, ils ne prévoyaient pas venir cet été. Leur session d'étude terminée, ils avaient trouvé un travail saisonnier.

Marie, touchante beauté au teint de rose, ne demandait qu'à être cueillie, humée, aimée pour à son tour donner, Marie à la voix chaude sachant chanter, Marie, dont le regard était une caresse, se chargerait de ceux qui souffrent. Une tornade était venue lui indiquer la voie à suivre. Oui, elle réconforterait tous ceux qui avaient conservé leur regard d'enfant.

Chapitre 21

TABLEAU INACHEVÉ

La nuit fut tranquille, le jour se leva. La route, à côté de chez Marie était devenue dangereuse. Les oiseaux chantent après la pluie, mais cette fois, ils n'en avaient pas la force. Ils se cachaient. Des automobilistes vinrent se ranger les uns à côté des autres, au bord du gouffre. Les uns affichaient une humeur massacrante. Les autres étaient nettement frustrés. On ne pouvait plus continuer sa route, les ponts avaient été emportés.

Parmi les hommes qui se concertaient pour résoudre le problème, il s'en trouvait un, plus nerveux que les autres. Marie le remarqua très vite. Elle l'observa discrètement.

Comme Marie et François pouvaient, entre deux ponts, faire du feu pour chauffer de l'eau, ils offrirent des boissons chaudes à tous, sans oublier l'homme anxieux qui le devint encore plus après avoir bu son café. Les gens se parlaient, se reconnaissaient. L'homme ne disait mot. Il suivait l'ardente Marie des yeux. Il a besoin de moi, aurait-elle juré. Il souffre et possède des yeux d'enfants.

Un autre aussi souffrait, François. Il aimait Marie. Il savait qu'un jour, elle lui échapperait à cause de cette folie en lui. Un autre la posséderait, il ne l'ignorait pas.

Et Marie ruminait : S'il m'avait choisie plutôt, comme tout serait simple. Tu reviendras, François, je le sais. Mais sera-t-il trop tard ? Serais-je partie ? Il te faudra me chercher. Ce lac t'a envoûté, cette eau moirée, ce vent, je n'y comprends rien.

Marie se sentant toujours observée se retourna. Mais qui est donc ce garçon à l'air inquiet ? D'où sort-il ? De mon cahier ? Ou y prendra-t-il sa place ? Pour l'inventer, il me faudra d'abord oublier l'autre, le beau garçon aux yeux noirs.

Aussitôt les nouveaux ponts temporairement érigés, les gens du lac reprirent la route, et Marie, admettant qu'elle avait choisi le dernier arrivant comme sujet à modeler, aiguisa son crayon. Anne avait besoin de compagnie. Entre les arbres frémissants, elle cherchait au loin, très loin, au bout du lac, derrière l'île, un ami, une pensée à rejoindre, un signe des temps.

— Mademoiselle, puis-je vous demander un verre d'eau ?

Le type qui venait de frapper à la moustiquaire de sa porte la tira de sa rêverie. Elle crut comprendre qu'il était affreusement déçu d'être ainsi coincé entre deux ruisseaux. Il était venu frapper chez elle en attendant qu'on enlève un arbre centenaire couché par le vent sur le pont de planches.

— Je me nomme Stephan, je suis musicien et je viens de Pologne. Avez-vous lu les journaux ? On a arrêté des hommes près de votre village. C'étaient des criminels de guerre, si j'ai bien saisi. Je suis venu témoigner.

— Oui, j'ai assisté à ces arrestations. Mais il n'y aura pas de procès. Les policiers ont emprisonné des gens dont la culpabilité ne sera jamais mise en doute. Ils étaient nombreux.

— Pas assez ! Ils ne savent pas grand-chose, je vous assure. D'autres hommes doivent être signalés. Cette pluie d'arrestations doit continuer. J'en ai long à dire.

Et il raconta la guerre, la bêtise d'hommes irrationnels enfoncés dans une folie meurtrière durant cette guerre de 39-45.

— Un grand procès a déjà eu lieu chez vous. Ceux que nous cherchons ont à coup sûr échappé à la justice de votre pays. Ils ne sont pas les seuls, d'autres criminels parcourent le monde.

— Beaucoup de mes compatriotes ont plié sous des diktats implacables et nombre d'entre eux seront dénoncés très bientôt, croyez-moi.

— Je vous crois. J'ai appris tout ce que vous dites dans les livres d'histoire. Les chiffres sont éloquents.

— Il n'y a pas de mots pour décrire l'horreur dont tant de mes concitoyens ont été victimes durant ce conflit.

Le musicien Stephan, de plus en plus nerveux, suait à grosses gouttes. Il entreprit son long récit.

— Il y a vingt ans, nous avons traversé l'océan, puis monté dans un train. Un complot ourdi contre nous par les complices du bandit que nous poursuivions dans ce train pour le dénoncer a tout fait échouer. J'avais remarqué ces hommes. Ils tentaient de mettre la main sur le costume de mon ami, Dimitri Alexandrovitch. Nous avions réussi, lui et moi, en Pologne, à garder des fonds, des papiers, au nez des gouvernants de ce nouveau régime qui nous prenait à la gorge. En ce temps-là, écrasés sous la puissance soviétique, et avant cela, par l'ennemi nazi, nous, les Polonais, nous ne savions comment survivre dans la dignité. Nous nous sentions très petits face à une grande puissance. Nous étions coincés dans une situation politique fort complexe. Nous avons dû affronter, en très peu de temps, deux dictatures. Ce n'était pas vivable.

« Avant de planifier notre fuite, nous avons tout fait, Dimitri et moi, pour éviter que l'État mette la main sur nos biens. Nous avons résisté. D'autres se sont battus. Il y a eu des morts, et pour Dimitri, des blessures à soigner. C'était terrible. Nous ne pouvions rien devant l'extraordinaire puissance soviétique. Nous ne nous sentions plus Polonais. Nous avions déjà souffert durant la guerre, mais les nouveaux venus étaient, selon nous tous, encore plus dangereux que les nazis. Alors que les canons s'étaient tus, que les autres peuples étaient libres, nous étions à nouveau envahis. Nous ne savions comment nous réjouir de la fin de la guerre. Notre joie était imbibée de tristesse. Partir était la seule solution pour nombre d'entre nous.

« Nous avons eu l'idée, avant de quitter la Pologne, de dissimuler ces biens dont je vous ai parlé entre la doublure et le costume de Dimitri. Comment l'a-t-on su ? Nous étions constamment espionnés. Nous avons franchi la mer. Plus tard, dans un train roulant vers Montréal, je me rendis compte que l'homme que j'avais voulu attraper la veille était escorté de très nombreux acolytes. Un soir, je retirai l'argent du manteau de Dimitri, une veste de chirurgien, pour le mettre dans la doublure de ma redingote de chef d'orchestre. Et je pris la peine d'en remplir les poches de billets. Ce manteau de gala ne me quitta pas. Peu après, je déclarai à Dimitri : Il est temps pour nous de fuir. Sur le pont de la rivière Richelieu – que vous connaissez sans doute – je lui ai mis cette veste sur le dos et l'ai encouragé à sauter. Je l'aidai un peu en le poussant. Ils sont plus forts que nous, ils auront notre peau. Saute ! criai-je. Rejoins-moi entre les deux gares. Je m'occuperai des tableaux.

« J'avais, dans mes bagages quelques œuvres très précieuses de peintres polonais. Je ne pouvais pas sauter à la suite de Dimitri. Un autre l'a fait, Frank, notre ami. Je suis descendu à l'arrêt suivant. Dimitri n'est jamais venu à ma rencontre.

« Certains que Dimitri n'avait jamais refait surface, Frank et notre ami, Josef, que j'ai retrouvé plus tard, m'ont annoncé la mort du seul très grand ami que j'aie jamais eu. Alors, je suis rentré en Pologne, sachant mon impuissance face à la corruption. Je n'y ai jamais retrouvé la famille de Dimltri. Depuis, je parcours le monde, avec d'autres musiciens, pour donner des concerts. »

— Mais Dimitri n'est pas mort ! Je vous raconterai tout, monsieur Olesky, affirma Anne tout excitée. De quelle façon Dimitri est-il sorti de la rivière ? Se cacherait-il ? Et je me demande bien comment il aurait su la direction à prendre, puisqu'il n'avait plus la capacité de se souvenir. À moins... oui... elle devait être écrite sur son billet de train.

Stephan poursuivit son récit :

— Nous étions cette semaine-là à Montréal pour y jouer Mozart. J'y ai lu les journaux et on a mentionné le nom de Dimitri. Je sais bien que c'est de mon Dimitri qu'il s'agit, et me voici. Je viens corroborer tous ces écrits. J'irai voir Frank demain, j'ai des idées. Le plus abominable des scélérats sera confondu, vous verrez.

— La police enquête sur de bonnes pistes. Tout se fait en secret. Christophe, le fils de votre ami Dimitri, vous soutiendra dans votre démarche. Dites-moi, qu'est-ce qui vous rend si nerveux ?

— Je ne suis sûr de rien, mais hier, en marchant vers la salle de concert, j'ai fait une rencontre. Vous savez, cette femme qui fait la manchette des journaux ces temps-ci ? Qui a trouvé logis sous un sapin dans la ville ? Elle m'a souri.

— Eh bien ?

— La jeune, la belle pianiste Vladia, épouse de mon ami Dimitri, m'est apparue dans ce sourire. Dans son visage fripé, seuls étaient vrais ses yeux, bleu lumineux, que Dimitri a tant aimés. Et je les ai reconnus.

Anne se leva d'un bond.

— Êtes-vous sûr de ce que vous avancez ?

— J'ai murmuré : « Vladia... » Elle s'est levée et m'a tourné le dos.

— Vite, j'appelle Christophe !

— Pas trop vite, allons d'abord vérifier.

D'un commun accord, ils partirent tous deux à la recherche de Vladia.

* * *

Une sorte de confiance venait de s'établir entre Anne et le musicien. Il deviendrait par la suite son dévoué complice. Elle en aurait besoin pour affronter l'incompréhensible tempérament de Christophe. Il n'aura qu'à expliquer, elle n'aura qu'à écouter, pour ensuite composer avec cette confusion chez celui qu'elle aime, ce portrait de Dimitri. Et Stephan, être équilibré, avait su naguère calmer les ardeurs de Dimitri.

Stephan s'en était mieux tiré que son ami, après la traversée du pont des chemins de fer en 1947. Stephan appartient à la race des vainqueurs. Pourtant Dimitri, selon Maryshka, était un survivant, un chêne, disait-elle. Mais un chêne blessé se rompt dans la tourmente.

* * *

— Comment en êtes-vous arrivée là, Madame ? osa demander Anne qui était moins émue que son compagnon.

— J'ai pris le bateau, j'ai traversé l'Atlantique, lui répondit Vladia d'un ton las.

— Mais pourquoi cette vie ?

La clocharde trébuchait à chaque pas.

— Et vous ? que me voulez-vous ? Laissez-moi tranquille. Je ne vous connais pas.

Elle s'adressait à Anne.

— Dimitri est vivant, annonça-t-elle.

— Dimitri... bien sûr, et mon Krystof que j'ai abandonné... et mon bébé là-bas ? Je voulais récupérer l'un, retourner chez l'autre. Maintenant je suis trop laide, trop sale. Si vous saviez... On m'a droguée, on m'a forcée à voler, à me prostituer. On m'a dit que si je rejoignais les miens – bien sûr, je les avais repérés – on les tuerait.

Elle en avait vu de toutes les couleurs.

Humiliée, elle expliqua comment elle avait dû tremper dans des machinations sordides, dans des intrigues pas très honnêtes, dans le trafic de la drogue contrôlé par ses geôliers.

Les gens qui la côtoyaient disaient : « Cette femme ? Une hallucinée ! Un peu simple d'esprit. »

Christophe haïssait sa mère. Il aimait mille fois mieux l'image du temps passé qu'il s'était fabriquée ; il venait de la perdre pour toujours. Il avait retrouvé Vladia, elle était infidèle à son rêve. Et il se haïssait de la haïr. Connaissant bien le chemin du pont sur le Saint-Laurent, il y fut en peu de temps. Il se pencha vers les reflets des lumières de la ville sur le grand fleuve, et...

* * *

Et si je le faisais sauter, Christophe ? Cela me soulagerait grandement, soupira Marie. Puisque François est mort pour moi, je n'ai plus envie d'inventer ce personnage qui lui ressemble.

Elle rangea ses papiers. Elle avait mal. Elle devait le lendemain partir pour l'Afrique avec Louis. Ensemble, ils entreprendraient une vie de nomade, Marie ayant accepté le poste proposé par Louis à l'Aide humanitaire internationale, occasion inespérée pour elle qui voulait partir. Ils iraient par le monde, sans oublier la Pologne, pour soulager la souffrance d'autrui. Et l'eau continuerait à couler sous les ponts, vers les fleuves, vers les ondes de la mer.

Marie revint un jour de mai chercher le pouvoir apaisant des eaux douces de son lac. Ce dernier était sans tache, comme il y a cent ans, au temps des Indiens qui fumaient sur ses rives le chanvre de la paix. Ils vivaient dans le respect de la nature. Ils vénéraient les animaux jusqu'à emprunter leurs noms pour s'approprier leur courage ou leur témérité. Bien que la forêt ait un tout petit peu reculé pour faire place au soleil pour les riverains avides d'eau pure, rien n'y avait changé ou presque. C'était un refuge.

Les arbres, le vent, et ces effluves marécageuses me suffisent, pense-t-elle. Maintenant, je peux me passer de toi, François. Je survivrai. Bientôt j'épouserai Louis aux yeux d'enfant, tu sais, celui des ponts brisés. Il a besoin de moi. Il est bon. Je l'ai vu soigner, aider, s'épuiser à la tâche. Je l'admire tant. Toi, tu n'avais pas sa ferveur quand tu me regardais ni cet espoir. Tu n'avais pas en toi cette soif de moi, ce courage de renoncer pour moi. Je l'aiderai, le seconderai. Il n'aura rien à sacrifier, après tout. J'ai accepté Louis. Je l'aimerai. Je finirai par oublier ton nom. Mais qui va là ? Cet homme, comme une épave dans la brume, il vient vers chez moi. Oh ! ces yeux noirs !

Chapitre 22

PLUS TARD

Trente ans ont passé. Marie monta au grenier. Son dernier enfant partait ce jour-là. Un train passait, ébranlant sa vieille maison de pierres.

Là-haut s'accumulait l'histoire de leur vie, à elle et à François, avec leurs enfants aux yeux de nuit et d'azur. Avec énergie, elle balayait la place pour pouvoir atteindre ces vieux objets. Ils feraient sans doute le bonheur de cet enfant dont le départ la laissait pantoise. On croyait naïvement que les petits le resteraient toujours jusqu'à... enfin, elle ne pouvait les couver sans fin.

Elle pensa.

Les oiseaux sont muets aujourd'hui et le soleil très pâle. Mon cœur est triste, il me faut réagir. Comme le temps a passé ! Des maisons ont poussé autour de la mienne, comme des champignons. Un gigantesque travail s'est accompli durant le quart de siècle qui se termine. Comme la vie a été belle ! Pour nous deux. Depuis ce jour où j'ai aperçu François revenant de son voyage mystique. Parmi les ornières du chemin qu'il avait naguère tracées, il en est une insurmontable, moi.

Il a fini par détester ces feux de joie qui le bouleversaient, pour les déserter ensuite, sur un goût de fiel, saccageant sans pitié tous ses efforts. Il était vaincu.

Tiens, des livres et des cahiers ! Mais qu'est-ce que c'est que ça ? Dans la poussière des années, mes vieux papiers, et cette histoire. Je la relirai. J'y racontais les Polonais qui vivaient près du lac, dans un endroit portant un nom indien signifiant trois rivières. Ils m'intriguaient tant.

Que de fuites, que de ponts et que de neige ! Beaucoup de neige. Et du vent hurlant et de la pluie. Tordant, ce petit bonhomme qui faisait se dresser les cheveux sur ma tête. Et ce Frank ! Il aimait Vladia ; elle aimait la musique. Quelle pitié ! Maryshka aimait Dimitri ; lui, l'alcool…

Et Christophe ? A-t-il sauté ?

Et Anne ? Une fille-mère, en 1966 aurait à faire face à tant de cruautés !

Si mes enfants lisaient ce manuscrit, ils comprendraient pourquoi j'avais si peur qu'ils aillent jouer sur le pont des chemins de fer.

Bon, il faudrait à cette histoire une conclusion. Cette nuit, je ne pourrai dormir, et demain, je ne pourrai plus vivre. Alors voilà, non, Christophe n'a pas sauté. Il s'était enfui vers le pont de la rivière, et même plus loin, jusqu'à la voie ferrée qui filait vers le sud. Il voulait partir, partir, partir. Tout lui faisait si mal. Puis, il avait hurlé de toutes ses forces au passage du train.

Christophe avait perdu ses illusions, son idéal d'une mère n'était plus. Anne ne voulait pas de lui. Un grand vide l'habitait.

Pourtant, il distingua au loin une femme s'approchant en courant. Dans ses bras, un bébé poussait des cris de joie. Anne était venue le chercher, elle avait su où le trouver quand on lui eut expliqué quelle direction il avait prise, et surtout, dans quel état il se trouvait. Il la reconnut. Alors, elle lui présenta son enfant, son fils d'une nuit étoilée.

— Il a le droit d'avoir un père, avait-elle dit.

L'enquête se poursuivit. Curieusement, les villageois auraient préféré – c'est laid, la guerre –, taire leurs souvenirs.

Dans un si petit village entouré de bois odorants, vivaient des monstres répugnants qui s'efforçaient de donner satisfaction à un minable petit homme qui les manipulait sans scrupules. Ils devraient dévoiler leurs crimes. Avouer qu'ils avaient jadis dépassé les bornes de la dignité. Pour tous, il y avait un lien entre ces hommes et les quelques horribles éventreurs ayant mené à la mort bon nombre de leurs amis et connaissances.

Puis les deux frères Alexandrovitch, pendant une visite à l'hôpital, allèrent s'informer auprès de Rudolph Schwartz :

— Qu'avez-vous dit à notre père avant qu'il ne s'effondre le soir de Noël 1964 ?

Dans un accès de rage, le fou s'était exclamé :

— Je lui ai dit : Vladia est à moi. Je vous tuerai tous deux, docteur Alexandrovitch ! Et j'aurai votre argent.

D'un coup de massue, Dimitri avait appris qui il était.

Il n'y aura pas de procès pour ce misérable, dit Christophe à Roman. Aucun avocat ne saurait le défendre tant il y a de preuves contre lui. Puisse-t-il être enfermé à vie.

Il n'y aurait pas de pardon pour tous nos suspects. Que la prison à perpétuité. Enfin, on verrait.

Chapitre 23

ÉVEILS

C'est vrai, l'argent. Où est l'argent ? se remémora un soir Christophe revenu habiter sur la rue des Érables.

L'argent dormait. Probablement au portemanteaux de l'entrée de la maison de Dimitri, dans la doublure de la redingote dont Dimitri ne s'était jamais départi. Mais était-ce si important ?

Roman, mis au courant des événements, était accouru vers sa mère qu'il n'aimait pas, – pour l'instant –, et celle-ci, malgré ces retrouvailles, n'éprouvait rien. Ses doigts étaient gelés et sans piano, elle était un corps sans âme, un bois mort.

Mais Noël revint. Maintenant, dans la vaste maison de la rue de Érables, sous l'œil-de-bœuf ouvert dans un grand mur du salon, Vladia, puisqu'elle avait chaud, s'éveillait à la vie, petit à petit.

Roman aidait Christophe à la boutique d'antiquités Alexandrovitch. Maintenant qu'il avait respiré l'air de la liberté, il n'était plus question pour lui de rentrer dans son pays. Parfois Christophe montait vers les pays d'en-haut dont il avait grand besoin de l'air pour se revigorer. Il y possédait aussi une boutique et une maison.

Ne se lassant jamais d'appartenir à une vraie famille, Roman pria sa grand-mère de venir les rejoindre afin de pouvoir relier ce grand arbre à ses racines.

Et comme c'était la coutume, on organisa des récitals donnés par Vladia dans la spacieuse demeure de la rue des Érables pour les gens de la ville, curieux d'entendre ce que ce vieux piano avait encore à offrir.

Un soir, au coin du feu, alors qu'ils conversaient poliment, on frappa à la porte. Vladia alla ouvrir. Et le miracle se produisit : à travers larmes et rires, elle avait reconnu Frank... Frank dont les écrits avaient jadis éveillé la flamme vengeresse de ses compatriotes et qui, par le fait même, avait été perçu comme un danger par les autorités de son pays. Frank qui l'aimait. Jamais, il ne lui avait déclaré sa passion, elle était à Dimitri, son grand ami.

Vladia avait retrouvé un visage humain, ce qui enchanta ses deux fils. Ils y virent enfin une lueur. Tant de douceur de vivre allait-elle la guérir ?

Alors Christophe se revit tout petit dans un bateau, tendant les bras vers sa mère restée sur le quai, et qui agitait son mouchoir en pleurant. Il la prit dans ses bras. Il avait pardonné.

Le lendemain, on ouvrit les portes à petits carreaux vitrés du grand salon pour y rouler le gros piano aux résonances cristallines.

L'enfant de Christophe fut bercé par des sons purs émanant d'un passé qui se cicatrisait.

Tout contribuait à raffermir en Christophe ce sentiment d'appartenance dont il avait été si longtemps privé. Il possédait maintenant une grande famille qui allait le consoler de sa jeunesse difficile. Et on finirait bien par retrouver et faire fructifier l'argent perdu !

La grand-mère ne vint pas. « Je vous écrirai, les rassura-t-elle. Je vous raconterai. »

L'été, près d'un petit village des Laurentides, au bord d'une rivière au sable rouge, ils cultivèrent des fleurs, en français, en polonais.

Et Maryshka ? Elle veillait toujours au chevet de Dimitri.

* * *

Anne était fort étonnée des symptômes du sommeil de Dimitri. Ils ne concordaient pas avec les indubitables théories de ses livres de médecine.

Dimitri, elle en était convaincue, faisait semblant de dormir quand il n'était pas seul. Lorsqu'elle soulevait sa paupière, l'œil se révélait tout à fait conscient, contrairement à ce qui aurait dû être s'il avait été dans un véritable état comateux.

Elle ne savait plus à quel saint se vouer. Et puis, un soir, étant arrivée à l'improviste, elle se rendit compte qu'il avait retrouvé la mémoire. Des murmures en polonais adressés à Maryshka le lui prouvèrent. Certaines de ses facultés étaient revenues.

Mon Dieu, avait-elle ruminé, il serait tombé sur la tête il y a vingt ans et tous ces ennuis, toutes ces incertitudes n'auraient peut-être pas gâché sa vie ?

— Bonsoir, lui dit-elle au déclin d'un jour où elle l'avait observé de près. Monsieur Dimitri, insista-t-elle, constatant qu'il ne voulait point collaborer, dites-moi ce qui vous tracasse. Vous êtes guéri, j'en ai la preuve. Et il n'y a plus de danger. Vos ennemis ont été capturés.

Oh non ! si cette jeune fille savait, pensa Dimitri qui, maintenant, avait recouvré ses facultés, elle devrait me laisser pour mort.

Se déroulait sous les yeux fermés de Dimitri le spectacle de nombreux blessés, gémissant, hurlant dans un état lamentable. Dans les décombres de la guerre, des cadavres à identifier, la déchéance des guerriers dépassant l'imagination, des jambes sacrifiées, des plaies mal fermées provoquant sa colère, des soldats qui se croyaient des dieux.

— La guerre a fait ses ravages, Mademoiselle, dit-il enfin.

Dimitri avait appris de Maryshka toutes les péripéties vécues par Christophe pour le sauver, ses diverses recherches dans le Nord, non seulement sur les contemporains, mais sur leurs fils et les fils de leurs fils. Il conseilla :

— Promenez-vous dans votre village des pays d'en-haut, écoutez parler les gens, vous comprendrez comment se sentent les victimes de cette maudite époque de terreur, sans compter celle qui l'a suivie.

Dimitri fit une pause et poursuivit :

— ... plus tard, ceux à qui nous devions la délivrance sont venus nous dominer sans que nous puissions participer aux décisions. Les Russes étaient venus nous contrôler, nous qu'ils avaient libérés des nazis, et la résistance de nos gens avait été affaiblie par les torts subis auparavant.

— C'est vrai, Dimitri, mais il n'y a plus de danger maintenant. Et nous avons retrouvé Vladia.

Dimitri resta coi.

— Elle vivait tout près d'ici.

— Vladia...

Anne lui raconta Vladia. S'il avait été sobre, Dimitri aurait su viscéralement qui se cachait en cette pauvre mendiante qui le dévorait de ses yeux défaits quand il allait chez le commerçant d'eau-de-vie. Il aurait retrouvé ses gestes de guérisseur pour diagnostiquer son mal, il l'aurait soignée. Il ne se pardonnerait jamais.

Maintenant, il était guéri. À l'hôpital, il avait pendant des jours examiné les instruments de chirurgie, si nouveaux, si modernes. Il avait palpé les bistouris et s'était promis de reprendre cette profession jadis tant aimée.

Le cerveau se rétablit, ce n'est pas rare après un traumatisme crânien, et Anne continuerait ses recherches. Elle était la personne tout indiquée pour aider Dimitri puisque sa thèse, laissée en plan depuis le début de sa grossesse, reposait en grande partie sur la réadaptation cognitive après un tel traumatisme.

Elle devrait reprogrammer le cerveau de Dimitri qui empruntait des chemins divers pour parvenir à ses fins, exercice quotidien, épuisant et répété. Elle était celle dont il avait besoin pour l'appuyer dans ses efforts, ou plutôt, ses défis.

Plus tard, s'est dit Anne, il pourra sans doute, s'il le désire, offrir ses services à l'hôpital des pays d'en-haut, près de nous qui voulons y habiter plus souvent. Puisse-t-il, comme Christophe, retrouver la paix !

Eh oui ! le côté noir de Christophe s'était, pour l'instant du moins, estompé, cédant la place aux élans créateurs ayant dormi en lui si longtemps.

Chapitre 24

ENFIN LA LIBERTÉ

L'été venu, Dimitri vint s'installer sur la montagne, au-dessus du village. Dans ses meilleurs jours, meublés d'inquiétantes illuminations soudaines, fou d'amour, il regardait vivre les siens au pied de la rivière. Puis, le soir venu, il descendait pour causer avec eux. Avec quel sourire, il les aimait ! Puis son exaltation devenait immense amertume.

Dans ses poches, trois balles, comme d'autres y auraient mis trois pilules pour se sécuriser, dans ses jours de profonde tristesse quand il considérait les lacunes de sa vie.

Un soir il ne descendit pas.

Il ne vit pas, ce soir-là, que le soleil couchant irisait de rose la ligne droite des pins. Il n'entendit pas le grondement de la chute fuyant vers la rivière. Il ne goûta pas à la douceur de l'été et à la brise poussant un duvet léger qu'il ne toucha pas. Il ne sentit pas qu'il faisait partie d'un tout. Il n'avait pas compris, lui qui se soignait à petits coups de gnole, que la vie, simplement, c'était... de posséder la vie.

On découvrit son corps au sommet de la montagne. Il avait pleuré des larmes de sang. Il n'avait pas compris.

On n'avait pas compris. On accusait la guerre.

Dimitri avait choisi une solution, lui qui s'était battu pour les hommes et contre l'insolence des hommes. Ayant vécu avec une blessure cachée, il n'avait su comment pleurer, plutôt que de fermer les poings. Avant que le coup ne parte, il n'y avait eu personne pour le bercer... et pour l'aider à passer sur l'autre rive, que la plainte du vent. Un chêne mutilé venait de s'écrouler. À ses côtés, un mot : « Je n'en pouvais plus, Christophe. » Ironiquement, au-dessus de lui, retentissaient les trilles d'un pinson.

Une biche s'était élancée vers les fourrés du bois et le cheval de la petite fille s'était cabré, hennissant.

Christophe n'accepta pas que Dimitri fût mort. Il chercha un signe de vie en lui, en vain. Parti sans dire adieu, son père, enfermé dans sa bulle, n'avait pas prévu tout le ravage qui suivrait.

Monsieur le curé qui voyait tout était fort bouleversé.

— A-t-on pitié, quand on se tue, de qui nous découvrira inerte ? s'était-il exclamé, scandalisé.

Fidèle à son époque, il était accouru, avait tant voulu consoler, réparer les pots cassés. Peine perdue devant l'inexprimable désespoir qui envahit les êtres fragiles.

La petite fille devint davantage seule, toujours seule, désespérément seule, avec ses livres et son cheval, avec le souvenir de ce vieil homme si gentil ayant pris l'habitude de la saluer, qui hier et avant-hier encore lui avait dit : « Tu sais, ma petite, tu verras un jour... »

Elle réfléchissait : Les gens qu'on a aimés ne partent pas vraiment. Ils restent pour nous consoler, au moins le temps d'un deuil.

Dans la forêt désenchantée, les oiseaux ne voulaient plus chanter. Elle courut donc vers sa console, à l'église, traduire sa déception dans des bruits horribles à l'orgue, évoquant la douleur des arbres arrachés par le vent.

Dimitri avait choisi la liberté. Le bien le plus précieux de la vie n'est-il pas la liberté ? Sa mémoire retrouvée la lui avait ravie. Alors, il la rencontrerait dans la mort.

Christophe comprenait qu'on puisse désirer se laisser couler, tant la lassitude est grande parfois. Mais jamais, maintenant il le savait, jamais il ne ferait de geste qui casserait les siens pour toujours. Il savait aussi la signification du mot abandon : destruction.

Et jamais il ne pourrait vivre une journée sans que la tête ensanglantée de Dimitri vienne le hanter. Au service funèbre, monsieur le curé sut l'apaiser un peu. Il affirmait que dans la mort, il y a la vie, la vie des souvenirs qui persistent, qu'aucun être au monde n'a le pouvoir de nous ravir. Les jours suivants, au cimetière, Christophe venait avec un bouquet de fleurs sermonner son père. Il lui disait : « Tu n'auras plus jamais soif, Dimitri. Tu es bien fier de toi, je suppose, toi qui devinais trop bien, toi qui saisissais tout. » Ne lui répondait que le silence de la tombe.

Et Maryshka ? Elle se sentait mourir. Elle était si usée. Elle s'en irait tranquille puisque Christophe avait rencontré la femme qui l'aimerait. Elle irait rejoindre Dimitri. Elle le sentait quelque part entre ciel et terre, affirmait-elle. Et à qui ne peut surmonter sa peine, se manifestent, disait-elle, des sons de l'au-delà dépassant l'imagination, des images floues étrangement dessinées.

Trêve de raisonnement, laissons Maryshka écouter sa musique. La pensée rationnelle est source de désillusion, une empêcheuse de tourner en rond. Elle n'avait plus peur de la mort. Je n'ai plus peur, Dimitri, je n'ai plus peur de toi, et sur tes cendres refleuriront les trilles du printemps. Christophe aura confiance en la vie, il suivra sa bonne étoile.

Moins atteinte que les autres, Anne les étudiait un à un.

Il y a autre chose, se torturait-elle. Dimitri, tout comme le chêne, n'était pas de la trempe de ceux qui se laissent abattre. Il a tant lutté. Non, il y a une autre raison à ce suicide. Mystère à découvrir.

Sa thèse universitaire portant sur les soins post-traumatiques, elle crut trouver sa voie. Pour protéger Christophe dont le cœur s'était brisé et pour défendre son enfant dans le cas où il serait porteur du mal énigmatique de ses ascendants, elle se spécialiserait en poursuivant ses recherches sur la chimie des cerveaux, sur les médicaments appropriés, sur le dosage précis à administrer à ceux qui doivent chaque jour composer avec leur délire ou leur mal de vivre que personne ne devine. Une lumière naissait en elle.

* * *

La lettre de la grand-mère arriva à Montréal. Ces écrits polonais étaient restés dans des sacs de la poste, alors que le processus de la mort de Dimitri était déjà enclenché.

Cher Dimitri,

Voici ton journal. Je l'ai bien gardé pour toi. Je savais bien qu'un jour je réentendrais la voix de mon fils au cœur si lourd... tout rempli d'or...

Elle rappelait le journal de Dimitri en un collage de phrases décousues, ses souvenirs d'avant-guerre, son amour pour Vladia et surtout, la vraie raison de son suicide. Dimitri avait écrit :

Je jure que je porterai témoignage, que les autorités posséderont une liste de noms, le nombre effarant des noms de ceux qui ont commis des gestes innommables pendant cette guerre, des abominations dépassant l'entendement. Mais moi, je devrai m'enfuir.

Des coupables sans cœur ni conscience se cachent pour l'instant. Ils veulent sauver leur peau. Je possède la clef d'un secret historique, ils le savent bien.

J'ai été témoin, même, j'ai dû participer, un fusil sur la tempe.

Moi, j'ai vu. J'ai dû... Quand je bois, j'oublie que j'ai dû... Quand je bois, je crois que je vis. Quand je bois, j'entends la musique de Vladia et non les cris de...

Lasse Vladia. Lasse de moi. Lasse de mes souvenirs qu'elle ne sait pas, de ces meurtres non encore punis.

Nous allons repérer ces « anges de la mort » qui se cachent. Ont-ils oublié leurs gestes ? Pleurent-ils ?

L'insaisissable responsable de tant d'horreur, je n'aurai de repos que quand il sera pris.

De toute façon, je ne pourrai supporter toute ma vie de tels souvenirs. Ils sont si affreux que j'aimerais mieux ne plus y penser. Je partirai. Existe-t-il un autre moyen de m'en sortir ? Je partirai, mais pas avant que ma femme et mon fils ne soient hors de danger.

Chapitre 25

COMPRENDS POURQUOI

Marie déposa son crayon. Dans sa maison aux pignons de bois dentelés, elle se sentait bien, quoiqu'un peu frissonnante. Elle pensa à ce qu'elle avait écrit. Elle pensa à la guerre :

Ce conflit mondial n'était qu'un mot dans la bouche de la moitié des gens d'ici. Que des soldats de plomb pour les petits garçons. Tandis que sur la rive opposée de la mer débarquaient des lieutenants, des capitaines et beaucoup de soldats. Les enfants d'ici jouaient à la guerre sans savoir que leurs pères là-bas, la vivaient, cette guerre.

Elle apercevait de sa fenêtre, pendues à la cime des arbres, des feuilles tardives bruissant au vent sans se décrocher. Elle marchait pour se réchauffer. Elle n'avait pas terminé sa réflexion. Elle s'efforçait de faire le point sur les ondes des souvenirs d'une petite fille esseulée, sans cesse déconcertée face au monde des adultes qui avait mal d'amour. Elle avait parfois franchi la clôture séparant le réel de l'imaginaire dans son récit qui aimait bien dire la poésie de la terre, souligner chaque brin de paille dans des histoires imprégnées de mystère, aux accents déchirants, dictés par le vent. Elle se remit à l'ouvrage.

Christophe interrompt sa lecture. Bien entendu, Roman l'avait secondé, l'aidant à traduire ce qu'il prononçait lentement.

— Qui d'autre que moi annoncera à sa vieille mère que Dimitri est mort d'une balle dans la tête ? s'exclame-t-il.

Puis s'adressant aux autres :

— On l'avait forcé, arme à l'appui, à faire lui aussi des recherches expérimentales sur des vivants.

Et, songeur, il poursuivit :

— Je l'entendais, parfois, la nuit. *Non, non, criait-il, je ne veux pas ! Vous n'avez pas le droit. Ce sont des êtres humains. Ce sont mes frères.*

— Écoutez ce qu'il m'a dit : *Les fleurs ont poussé dans les champs de la guerre, pas dans mon cœur. Le temps a rayé ce passé de la carte, pas de mes tripes. J'avais choisi d'être médecin pour aider l'homme, non pour l'anéantir.*

Christophe se tut, reprit son souffle.

Puis il continua à présenter le journal de Dimitri. Avant la guerre, Dimitri n'avait jamais perçu la haine des hommes côtoyés dans les rues, dans sa rue. Non. Il n'avait jamais su faire taire son émoi au contact d'un être qui souffrait. Il ne comprendrait jamais ce monstrueux mépris des hommes par des êtres se croyant issus d'une race supérieure, tentant d'anéantir de présumés sous-hommes qui avaient pourtant une âme. Il espérait que justice fût rendue parce que lui ne pourrait plus jamais voir, d'un cœur joyeux, se lever le jour.

Tous les yeux qu'il avait vus s'éteindre hantaient ses nuits. Chaque matin le surprenait pleurant, appelant ses victimes, leur demandant pardon au nom de ceux qui les avaient terrorisées, lui qui était forcé d'intervenir contre le destin.

Aucun humain, écrivait-il, *n'a de droit sur la vie d'un autre humain. Ils étaient fous, ces hommes. Fous de rage, fous de haine, d'orgueil et d'ambition.*

J'ai dû tenir un véritable compte rendu de mes observations. Plaise à Dieu qu'elles soient lues par des hommes justes. Ils sauront au moins poursuivre et punir les auteurs de ces crimes.

Je sens peser sur moi les yeux de mes victimes chaque jour de ma vie. Je ne m'en sortirai jamais.

Vienne la mort, la délivrance de ce petit médecin que j'ai été, transformé en bourreau, un pistolet sur la tempe.

Que soient dénoncés ces abus criminels, cette barbarie !

Comprends-moi bien, Vladia. Comprends pourquoi je marche toute la nuit en pleurant. Pourquoi je ne peux plus supporter les fleurs dans les champs, pourquoi je n'aurai de repos que quand...

La vie semblait s'être arrêtée pour les occupants du 89, rue des Érables. Dehors, il bruinait. Puis, l'un d'eux clama d'une voix sourde :

— Ils peuvent bien se cacher dans la brume !

Chapitre 26

LA SUITE D'UNE ENQUÊTE

Un vieil adage se posa sur la page blanche de Marie *Vingt fois sur le métier...* et des témoignages confus de revenants de la guerre s'entremêlaient dans ses souvenirs de petite fille. *Polissez-le sans cesse* ...Marie devra mettre de l'ordre dans toute cette imagerie. Son esprit voguait sans le vouloir dans une autre histoire. La folle du logis ne savait pas se taire, l'importunant, l'empêchant de se concentrer. Cherchant un nouveau souffle, elle se pencha sur son cahier :

Ce soir-là, la petite fille galopait tout le long de la grand-route. Elle était très loin de chez elle, beaucoup plus loin que permis. Mais voilà qu'elle repéra soudain, sur le terre-plein qui séparait la voie de droite de la gauche, un vagabond très affairé. Il ramasse des bouteilles, comme c'est bizarre, songea la petite fille.

À la manière de Diogène tenant sa lanterne, l'homme avançait. Dans sa main droite, une lampe de poche et, sur son épaule gauche, un grand sac de toile dans lequel il jetait, une à une, ses découvertes.

Au bout de quelque temps, une auto-patrouille fonça, puis s'arrêta d'un coup sec près de l'homme qui, hébété, laissa un agent l'aborder comme s'il était suspect. Tous les postes des polices municipales de la vallée de la Rouge étaient dans un perpétuel état d'alerte depuis qu'on les avait sommés de capturer tout étranger aux allures louches.

— Qu'espérez-vous trouver ici, Monsieur… ?

— Qu'est-ce qu'un vieil homme comme moi peut espérer, dites-moi ?

— Puis-je voir ce que vous cachez dans votre sac ?

— Je cherche des bouteilles, rien de plus.

— Vous allez les vendre ? Vous êtes Allemand, je crois ? Avez-vous connu la guerre ?

— Ce sont des souvenirs dégoûtants. Je ne souhaite pas les partager.

— Votre nom ?

— Bon, si vous y tenez, je m'appelle Éric Goethe, et je ne suis pas un criminel de guerre, si c'est ça que vous croyez. Je ne fais pas partie de cette engeance-là. Si vous voulez en savoir plus long, je vous déclare que nombre de ces exécrables tortionnaires ont échappé à la justice lors du procès de Nuremberg, intenté en Allemagne par un tribunal militaire, entre le 20 novembre 1945 et le 6 octobre 1946. Plusieurs de ces fuyards ont abouti ici, dans votre vallée.

— Mais pourquoi ne pas les avoir dénoncés ?

— Ne vous en doutez-vous pas ? N'avez-vous pas deviné que tout ce qui bouge dans votre village le fait sous le regard de ces bourreaux qui ont commis des crimes contre l'humanité pendant la guerre ? Moi, j'ai sauvé des Juifs. Je suis Allemand, mais Allemand ne veut pas dire truand. Je vous indiquerai des noms, mais ne revenez plus me questionner.

— Je vous écoute.

— L'histoire de la guerre vous a été contée ? Le Fürher, cet intégriste…ce pratiquant du culte de la haine, a épuisé l'Allemagne pendant ce conflit. Croyez-moi, nous n'étions pas fiers de nos gouvernants. L'invisible Hitler était, en fait, partout.

— Oui, bien sûr. Tout le monde connaît cette histoire. Conduisez-nous à ceux que vous savez coupables et qui ont échappé à la justice de ce tribunal de Bavière. Ne vous inquiétez pas, tous les policiers du Québec sont aux aguets. Il n'y a pas de danger. Un monsieur Stephan Olesky a donné l'alerte, il a bravé toute cette racaille qui vous inspirait la peur. Nous allons confronter des hommes. Nous leur ferons cracher la vérité si vous nous aidez à les capturer. En attendant, donnez-moi vos bouteilles, je les déposerai sur le seuil de votre porte. Venez avec moi.

— Vous ne vous doutiez de rien ? demande Éric Goethe au policier sur le chemin du retour.

— Puisque personne ne parlait... Ça ne peut plus durer, ça n'a aucun sens. Je vous en prie, aidez-nous, oubliez vos arrière-pensées pour l'instant.

L'homme promit. Vaincu, Éric Goethe avait choisi de collaborer avec les policiers.

— J'en suis bien aise, avait dit le policier. Je viendrai vous chercher demain à la première heure, poursuivit-il alors que son passager descendait de voiture.

On fit venir Stephan Olesky au poste de police dès le lendemain. Éric Goethe fut heureux de reconnaître son ancien compagnon de guerre. Ce grand musicien avait été la cible autrefois des soupçons du peuple. On l'avait accusé d'avoir collaboré avec les amis d'Hitler, mais Éric Goethe l'avait aidé à réfuter tant d'odieuses calomnies.

Chapitre 27

QUI ÉTAIT LE PETIT HOMME ?

— ...Vladia n'était pas au concert ce soir-là... il y avait trois mois qu'elle n'avait joué dans mon orchestre...

Attablés avec Éric Goethe, deux hommes se concertaient à voix basse. Soudain, on entendit Stephan Olesky, l'un d'eux, s'exclamer, de sa voix de ténor :

— Vous ne m'échapperez pas, cette fois ! Je vous connais, vous étiez avec Alfons Butsch, un soir d'août de 1947, lors de notre concert !

— Ici, nous le nommons Adolph Schwartz, lui souffle Éric Goethe. Il a changé de nom dès son arrivée au pays pour confondre d'éventuels poursuivants venant d'Europe, tu penses bien !

L'accusé se retourna et regarda Stephan. Il était trempé de sueurs froides.

— Ne le pendez-pas, dit une femme accourue au son de la voix de Stephan. Je suis une survivante de l'holocauste. Je vous l'affirme, il ne faut pas se mettre des morts sur la conscience. Seule importe la paix.

— La pendaison ! s'étonna la petite fille qui n'était pas loin. Est-ce que ces mœurs barbares existent encore ?

Contrariés, des travailleurs du village, ayant entendu ces propos, répliquèrent :

— Ils ont dépassé la mesure. Ne les laissons pas corrompre nos jeunes. Du fond d'une prison, tout est possible. Leur emprisonnement engendrera des maux encore pires que la mort. Ils se vengeront sur les jeunes délinquants punis pour des délits mineurs. Ils utiliseront tous les moyens – nous savons lesquels –, pour harceler, terroriser et menacer ces jeunes en difficulté, ce qui retardera leur réinsertion sociale.

Des pensées s'entrechoquaient dans la tête de tous les témoins invités à participer à l'enquête en cours. La porte du poste de police était grande ouverte. Une marée de gens fut attirée par le grondement des voix.

* * *

Anne était douée pour la recherche, elle avait toujours su où diriger ses pas quand survenait le doute. Se sachant de taille, la veille, elle avait proposé un plan à Christophe et à Roman pour les aider dans leur recherche de la vérité. Mais s'approchant des voix qui fusaient des fenêtres et des portes du poste de police, elle sut que pour Christophe, l'inévitable supplice de ne pas tout comprendre tirait à sa fin. Elle fut soulagée de voir que son misérable petit homme et ses acolytes n'auraient plus jamais de repos. Elle capta cet instant à l'aide de son appareil photo. L'enquête avançait à grands pas, sans même que les policiers aient à trop bouger.

Un vent de panique s'était emparé des villageois. Sur leurs visages tendus, des larmes coulaient. Ils avaient ouï dire que tous seraient interrogés. Sans tomber dans l'irrespect, on attira l'attention des policiers sur les allées et venues d'individus soupçonnés d'être peu recommandables.

On révéla le nom d'autres personnes, leur profession, leurs agissements absurdes et surtout... qui était le petit homme. Dans un cri du cœur, la vérité de chacun éclatait au grand jour.

— Vous savez, on part comme ça à la guerre, la tête haute, on est très fier de soi. Mais on en revient la mine très basse.

— Je me souviens... nous regardions les bombes tomber...

En prononçant ces mots, la dame au fichu, l'ancienne danseuse toujours droguée par Rudolph Schwartz, s'avança, timide, tentant de se frayer un chemin dans la foule.

— J'ai fui ma Pologne en compagnie de Rudolph Schwartz, pour dire vrai, avec Alfons Butsch. J'ai survécu dans un tel état de tension, dans votre village où je fus replongée au cœur de mon cauchemar !

Elle était enracinée dans son passé. Elle dévisageait les gens sans les regarder vraiment. Un policier se chargea de la ramener sur terre.

— Vous connaissiez monsieur Butsch ? L'aviez-vous déjà vu auparavant ? À votre connaissance avait-il quelque chose à voir avec des attentats sur des Juifs ?

— Je vais vous dire, je me suis dégradée au point d'obtempérer aux demandes d'Alfons Butsch, alias Schwartz. Mais ne me croyez pas plus méchante que je ne suis. Nous marchions sous la menace, ne l'oubliez pas. Je nie avoir voulu tuer, je le nie formellement. Butsch ne possédait pas toutes ses facultés, il était très dangereux.

— Le croyez-vous incapable de subir un interrogatoire ?

— J'ai observé toutes ses façons de faire et la logique me dit : qu'il meure ! Cet homme m'a souillée, il m'a brisée à tout jamais.

Un notable du village parla de l'exploitation honteuse de la naïveté des paysans du comté, du cynisme de ceux qui les effrayaient.

Des gens se reconnaissaient sur le seuil de la porte des policiers. Quelques-uns ne s'étaient pas parlé depuis la guerre. Ils racontaient leur vécu.

— ...en 1939, notre famille était encore heureuse.

— ... vous n'avez pas souffert, vous, les gens d'ici...

— Peut-être un peu, tout de même, répliqua la voisine de celui qui venait de parler. Et nous avons dû nous serrer la ceinture. Que faites-vous des importuns qui profitaient de la guerre ? Nous vivions l'insécurité, la nervosité, la peur des grands départs. La machine de la mort était en branle pour tous.

— Nous avons su pour Dimitri, alla dire à Christophe un nommé Rabinovitch sur le point de partir. Nous avons su pourquoi il s'est supprimé. J'ai honte. Il a eu la vie sauve, à la guerre, parce qu'il était médecin. Ses chefs se sont servis de lui pour anéantir un plus grand nombre de Juifs.

— Si tu avais vu, en ce temps-là, la lassitude de ton père ! Et son chagrin devant toutes ces épaves humaines sur lesquelles on le forçait à poursuivre des expériences scientifiques.

Les policiers posèrent des tas de questions à Rabinovitch.

— Connaissez-vous Alfons Butsch ?

— Oui. Il se fout du monde entier. Et Stephan Olesky sait très bien, lui aussi, qui il est. Moi, je n'ai fait qu'obéir aux ordres de cet homme au regard d'acier, cet homme obsédé, ayant atteint le dernier échelon de la dégradation, le plus grand tueur de Juifs que je connaisse, sous les ordres duquel Dimitri a dû s'incliner dans les camps de la mort.

— Bon, dit un policier. Nous avons tout en main. Nous avons assez de preuves. Donnez-nous les noms des complices de ce Butsch, dit Schwartz.

— Quel sera leur sort ?

— Premièrement, le remords. Ensuite, nous livrerons tous nos prisonniers aux grands tribunaux d'Europe. Et voilà, tout sera terminé pour nous.

* * *

Quelque temps après, sur les photos d'Anne, des mains tendues sur fond de guerre. Elle les écarta, fermant la porte sur la laideur. Il est difficile pour un être sans histoire de comprendre la cruauté des hommes.

Chapitre 28

DES IDÉES PLEIN LA TÊTE

— Notre coin de terre se porte bien, en tout cas. Nous n'avons pas souffert comme tant de gens ailleurs, dit François à Marie, en cette journée morose.

— Sommes-nous à l'abri de la folie des hommes ?

— Achèves-tu ce roman ? Tu sais, la source de ton inspiration, ce petit homme, le policier qui, dans ton manuscrit devient le meurtrier, il est on ne peut plus droit. Il est épris de justice et non de pouvoir, quoique absolument toujours sur ses gardes, convaincu que le reste du monde, lui mis à part, est suspect. Métier oblige, tu vois.

— En tout cas, on dit qu'il a une belle collec tion de fusils, il n'est peut-être pas si...

— N'aurais-tu pas en tête un autre personnage ? Ni allumé, ni éteint, ni pâle, ni foncé, très équilibré et sensé ? Un peu moins tordu que les autres ? Bien sûr, ces récits d'autrefois, Dieu sait où tu es allée les chercher, ont quelque peu enflammé ton imagination. Des événements curieux ont eu lieu, les gens de ton village le savent mieux que personne mais... Comme tu t'ennuyais, Marie, autrefois ! La petite fille de ton récit te représente. Elle a mal, mal d'amis, cette enfant !

— Tu sais, moi qui suis un peu Anne, j'aurai à chercher pour l'aider à prouver que toutes les conditions doivent être réunies pour que le suicidaire attente à ses jours. Le fait d'être atteint d'une maladie n'est pas tout, l'équilibre psychologique d'une personne est biologiquement programmé dans une certaine mesure, mais la dite maladie doit être accompagnée de terribles événements, de malchances, d'un trop-plein de ceci ou de cela. Les incidents traumatisants peuvent détruire quelqu'un, crois-moi. La biochimie peut-elle venir à bout de tous ces éléments destructeurs ? La souffrance humaine a ses limites. Comment rendre la spontanéité, la joie pure à un être désabusé qui, selon des courbes régulières, éprouve des troubles irréguliers de l'humeur, à qui a perdu sa capacité de redevenir enfant, ne serait-ce que pour quelques instants ? Une idée me trotte dans la tête, François.

— Bon, et quoi encore ! N'as-tu pas tiré tes conclusions ? Dis-moi ce qui ne va plus, s'impatienta son interlocuteur.

— N'y aurait-il pas eu moyen que Dimitri retrouve l'espoir en regardant grandir ses petits-enfants en temps de paix ?

— Ah là ! Marie, je vais être obligé de t'arrêter. N'as-tu pas choisi ta voie ?

— Oui, mais les mots me poursuivent. J'ai de meilleures idées. Je crois que je saurais m'y prendre maintenant que j'ai terminé.

— Alors écris, dessine le temps, prépare tes pinceaux, mais je t'en prie, oublie Dimitri. Laisse la guerre et ses misères.

— Tu as peut-être raison.

Marie ferma les yeux. Et défilèrent sous ses paupières des hordes de bêtes féroces hantant les bois, dans l'obscurité.

Si j'obéissais à cette mystérieuse consigne qui m'incite à raconter ce que je crois voir, eh bien ! sous ma plume, il serait une fois...des îles englouties, il serait une autre fois des princes déchus...des monstres sacrés...des êtres imparfaits...des rochers percés sur des fleuves enchantés. Il y aurait des personnes flattées ou bien outrées de vivre le temps d'un rêve, et des lecteurs heureux d'aller se balader dans des lieux où la vie est tout autre.

Marie observa François. Il avait troqué ses mines soucieuses pour une physionomie béate qu'elle lui enviait.

Jusqu'à ce que ses souvenirs deviennent poussiéreux, il se prélassera dans sa chaise inclinée, s'amusa-t-elle à penser.

Mais elle savait bien qu'il rebondirait sur ses pieds, une fois atteinte l'euphorie de la liberté après tant d'années occupées à survivre à des horaires surchargés.

L'ombre d'un sourire moqueur rôda sur les lèvres de Marie devant ce rare spectacle. Maintenant qu'ils étaient seuls tous les deux, elle n'avait plus qu'à le réinventer.

* * *

Et sous l'arbre le plus feuillu de leur propriété, elle ébaucha les plans d'une grande saga qu'elle n'aurait sans doute jamais le temps d'achever. Mais elle devrait d'abord poser sa plume pour laisser la forêt s'effacer.

Aux Éditions de la Paix

127, rue Lussier
Saint-Alphonse-de-Granby, Québec
J0E 2A0
Téléphone et télécopieur
(450) 375-4765
Courriel **info@editpaix.qc.ca**
Consultez notre catalogue électronique
www.editpaix.qc.ca

Collection Roman adulte

Françoise de Passillé
Un Chêne dans la tourmente
(Premier prix de la relève 2002, décerné par l'Association des auteurs de la Montérégie)

Patricia Portella Bricka
L'Itinérante
Hélène Boivin
Le Bonheur a un nom
Diane Pelletier
Murmures dans les bois
Rollande Saint-Onge
Du Soleil plein ta tête
Louise de gonzague Pelletier
Je vous attendais
Martin Daneau
Le Reflet du silence
Jean-Paul Tessier
François, le rêve suicidé
Francis, l'âme prisonnière
Michel, le grand-père et l'enfant
L'Ère du Versant

Collection PATRIMOINE

Robert Larin
Brève Histoire des protestants en Nouvelle-France et au Québec (XVIe - XIXe siècles)
Premier prix d'histoire, décerné par la Société historique de Montréal.
Isabelle Bouchard, pm
Il y eut un soir, il y eut un matin

Collection PETITE ÉCOLE AMUSANTE

Charles-É. Jean
Question de rire, 140 petites énigmes
Remue-méninges
Drôles d'énigmes
Robert Larin
Petits Problèmes amusants
Virginie Millière
Les Recettes de ma GRAM-MAIRE

Collection JEUNE PLUME

Hélène Desgranges
Choisir la vie

Collection RÊVES À CONTER

Rollande Saint-Onge
Petites Histoires peut-être vraies (Tome I)
Petites Histoires peut-être vraies (Tome II)
Petits Contes espiègles
(Ces trois derniers titres s'accompagnent d'un guide d'animation pour les adultes)

Collection ÉSOTÉRISME ET SPIRITUALITÉ

Pierre Pelletier
Amour au masculin et expérience spirituelle
Hermann Delorme
Crois ET meurs dans l'Ordre du Temple Solaire
Huguette Bélanger
La Fin est un commencement
Les Chakras, fontaine d'énergie pour grandir
Pierre Léveillé
La Planète Date

Achevé d'imprimer chez
MARC VEILLEUX IMPRIMEUR INC.,
à Boucherville,
en septembre deux mille deux